Collection
souris
verte

dirigée par
Noël Mamère

D0810004

L'auteur

Claire Mazard a écrit une quinzaine
de récits : aventures, policiers et romans
au ton plus grave dans lesquels
elle aborde les problèmes des jeunes.
La littérature pour la jeunesse reste
sa passion la plus importante.

Du même auteur

• *Le Cahier rouge*
Syros/Les uns les autres
• *Le Redoublant*
Nathan/Pocket Jeunesse
• *Assassin à dessein*
Rageot
• *Maman les p'tits bateaux*
Casterman
• *Monsieur Elliot*
Casterman
• *L.O.L.A.*
Flammarion

Claire Mazard

Alerte au zoo

Illustration de couverture
Olivier Balez

Postface de Noël Mamère

SYROS
jeunesse

Catalogage Électre-Bibliographie
Mazard, Claire
Alerte au zoo. – Paris : Syros, 2000. – (Souris verte ; 36)
ISBN 2-84146-889-5
Dewey : 811.5 : Albums et fiction. Romans. Aventures et voyages
Public concerné : Bons lecteurs (à partir de 11 ans)

*Si le lieu dans lequel se situe ce roman
– le zoo de Vincennes – est réel (parfois arrangé
pour les besoins du récit), les personnages
y travaillant (directrice, vétérinaire, soigneurs...)
sont totalement le fruit de l'imagination
de l'auteur et n'ont aucun rapport avec la réalité.*

1

À Yannick Sauvadet-Le Louërec

« *Mon plan est au point. Je tuerai jusqu'à ce que l'incendie recomble le vide de mon esprit. Rien. Personne ne m'arrêtera.*
5.4.3.2.1... Feu!»

Juliette ouvrit un œil, s'étira. Sa première pensée du matin, machinale mais attendrie, fut pour son compagnon. Roméo partageait sa vie depuis bientôt... sept ans. Tous deux étaient arrivés le même hiver, à quelques jours d'intervalle. Avec son pelage brillant, ses gestes délicats, sa distinction naturelle, il lui avait tout de suite plu. Malgré leur espace étroit, malgré les barreaux, ils avaient toujours filé le parfait amour.

Six heures à peine : il faisait nuit. Depuis quelque temps, habitée par une angoisse indéfinissable, Juliette dormait mal, se réveillait alors que tous les autres somnolaient encore. Soudain, une boule d'anxiété l'empêcha de respirer : « Il est arrivé quelque chose à Roméo ! »

De sa démarche pataude d'ourse, elle dépassa le panneau sur lequel le visiteur, de l'autre côté du grillage, pouvait lire : « Ours blancs des régions arctiques. » Elle se dirigea vers le bloc de pierre censé représenter une banquise ; Roméo dormait là. Sous le faible éclairage du réverbère, son compagnon lui parut étrangement recroquevillé.

– Roméo ? s'inquiéta-t-elle.

Elle se précipita. Il avait le museau ouvert mais aucun souffle de respiration.

– Roméo ? répéta-t-elle, paniquée.

Elle lui tapota l'épaule. L'effroi la paralysa : Roméo glissa sur le sol. Raide. Mort.

Sylvain accrocha les clichés qu'il venait de tirer. Chloé, la girafe, avec son girafon à ses pieds, se révélait vraiment superbe. Avant de la prendre en photo, à plusieurs reprises, Sylvain lui avait rendu visite, pour l'apprivoiser. Loïc, le gardien de jour du zoo, lui avait ouvert l'enclos. Il avait ainsi pu parler à la girafe, la caresser. Sylvain avait vite constaté que les animaux présentaient sur les photos une expression beaucoup plus amicale, plus touchante quand il avait pris le temps de sympathiser avec eux. Tous semblaient offrir leur confiance, surtout Paulus, l'éléphant d'Afrique. Bouleversant ! Emprisonné dans sa cage, au moment du « clic-clac », il avait laissé une grosse larme couler le long de sa peau rugueuse. « Regarde ce que les hommes ont fait de moi », semblait-il dire. « Les animaux ont du cœur. » Sylvain qui les côtoyait depuis deux mois maintenant en était certain. Il avait choisi, un peu par hasard, de faire son stage photo au zoo de Vincennes. Peu à peu, en lui, naissait la passion des bêtes. Paulus le touchait particulièrement mais aussi Raoul, le petit babouin, qui mimait le clown. Sylvain ne se lassait pas non plus des perroquets, feu d'artifice de couleurs, et de Juliette et

Roméo, les ours polaires qui s'aimaient tendrement. Chaque matin, malgré le froid, avant que le public n'arrive, il allait leur dire à tous un petit bonjour. Depuis qu'il effectuait son stage, il avait plus fait connaissance avec les animaux qu'avec le personnel. Il s'était certes lié d'amitié avec Lucyle, vingt ans comme lui, stagiaire vétérinaire. Elle travaillait auprès de monsieur Sauvage, le vétérinaire du zoo, appelé par tous Véto. Sylvain, lui, avait surnommé Lucyle Gazou. Ils logeaient dans les studios réservés aux artistes à l'intérieur du Petit Rocher, juste à côté de la fauverie.

Il tendit l'oreille, il avait entendu... Il ouvrit la fenêtre. Le froid glacial s'engouffra. Non. Dehors : la nuit, le silence. Il travaillait depuis une heure à ses photos. Il aimait s'activer pendant que les autres dormaient. Avec le froid dehors, le studio ressemblait à un chalet. Sylvain découvrait dans le zoo un monde à part, un univers clos, insoupçonné. Loïc, le gardien de jour, l'avait mis au courant des habitudes des uns, les animaux, et des autres, le personnel. Loïc ne parlait pas beaucoup mais allait à l'essentiel.

– Il y a les surveillants, les soigneurs, les caissiers, les contrôleurs, le personnel administratif. Chacun vaque à ses affaires. Mais au restaurant du zoo, ils se retrouvent par catégorie : soigneurs avec soigneurs, contrôleurs avec contrôleurs... Sauf moi qui ne rejoins pas Bertrand puisqu'il assure la garde de nuit et moi celle du jour. Nous nous relayons. Besoin de se regrouper comme les animaux, la nature humain est curieuse, non ?

– Et la direction ? avait demandé Sylvain.

– Ils sont trois : le directeur du laboratoire, monsieur Nicaud, qui entreprend des recherches sur la conservation des espèces, le directeur du parc, monsieur Delatre, responsable des espaces, et la directrice du zoo, madame Blanche Guyot.

– Catwoman ?

Loïc avait eu un petit rire :

– Oui, Catwoman. Vu son look, ce surnom lui va bien, non ? Tu l'as rencontrée ?

– Plutôt, oui. Le premier jour, elle m'a reçu dans son bureau, en compagnie de...

Au souvenir de l'énorme tigre allongé aux pieds de la directrice, un frisson parcourut Sylvain.

« Du calme, Baby, avait-elle dit, puis elle avait tapoté le museau du fauve. Tu ne fais pas mumuse avec le nouveau ? »

Mumuse ? Qu'entendait-elle par « mumuse » pour un tigre ?

– Son « Baby », expliqua Loïc, elle est arrivée avec au zoo, il y a un peu moins de trois ans.

Sylvain revit les minuscules tresses rousses, serrées, assorties à la fourrure du félin, et le regard perçant de la directrice.

– Elle n'est pas un peu dingo ?

– Ne crois pas ça. Diriger un établissement tel que le zoo exige une main de fer. Avec elle, le zoo se développe et, contrairement à monsieur Delatre, le directeur du parc, souvent absent pour des conférences à l'étranger, elle est toujours là.

Avec Loïc, Sylvain avait visité le zoo de fond en comble : la gestion des réserves sur ordinateur, la livraison quotidienne par camion-citerne des trois tonnes d'aliments nécessaires pour nourrir les douze cents animaux.

— Paulus, par exemple, à lui tout seul, dévore cinquante-cinq kilos par jour de farine d'orge, de foin, de luzerne verte... Chloé, la girafe, vingt-trois kilos, et Baby, douze kilos de viande non désossée.

Loïc lui avait présenté les animaux rares, en voie de disparition :

— Voici Hugo, le lémurien, et... Arthur, le bébé panda, le petit dernier du zoo.

Il sursauta. Cette fois, il en était sûr : un bruit dehors, un hurlement à vous couper le souffle. Il attrapa sa doudoune, sortit.

Dans l'allée peu éclairée, il aperçut une ombre devant lui.

— Hé, Loïc !

Le gardien de jour se retourna, hébété.

— Que se passe-t-il ? demanda Sylvain.

— C'est Juliette, l'ourse, qui pleure à la mort. Je reconnais son grognement.

Autour de l'enclos des ours polaires, du monde s'affairait déjà : Catwoman, en déshabillé sous sa fourrure, monsieur Nicaud et Véto.

Près de la banquise en pierre, une grosse masse était étendue par terre. À côté, comme prenant le ciel à témoin, Juliette hurlait. Son cri résonnait, terrible. Terrifiant.

— On ne peut pas la laisser ainsi. Faites quelque chose ! ordonna Catwoman.

— Facile à dire ! rétorqua Loïc. Il est arrivé quelque chose à Roméo, vous voyez bien, elle est folle de douleur. Si j'entre, elle peut me tuer d'un seul coup de patte.

— Je m'en occupe, déclara Véto.

Il ouvrit sa valise, sortit un fusil.

— Je vais l'endormir, expliqua-t-il.

Soudain, un autre hurlement retentit. Ce n'était pas Juliette.

— C'est Daniel, un des loups, murmura Loïc.

— À eux deux, ils vont ameuter le zoo, gronda Catwoman. Faites vite, Véto !

Ton désagréable, autoritaire.

Véto s'exécuta. La flèche se planta net sous la fourrure. Juliette eut un gémissement sourd.

— Pourvu qu'elle ne tombe pas sur Roméo, marmonna Véto. Sept cents kilos, on aura un mal fou à le dégager.

Juliette gémit encore puis, brusquement, s'affaissa à côté de Roméo.

Daniel, le loup, s'arrêta aussitôt. Un silence de plomb s'installa. Les deux grosses masses sur le sol étaient impressionnantes. Véto attendit un instant, puis pénétra dans l'enclos. Il regarda l'œil de Juliette.

— Elle est endormie.

Il ausculta Roméo.

Catwoman, monsieur Nicaud, Loïc et Sylvain le virent secouer la tête.

— Le corps est encore chaud mais... il est mort.

— Comment Sylvain ? Roméo ? Mort ?

— Impossible que tu n'aies pas entendu, Gazou ! Cette pauvre Juliette hurlait à alerter Paris tout entier.

— J'ai pris un comprimé pour dormir hier soir. Que s'est-il passé ?

— Rien. Il est mort, tout à l'heure, vers six heures, d'une crise cardiaque a dit Véto. Bien fort le café, s'il te plaît.

— Crise cardiaque ? Je ne comprends pas. J'ai assisté à la visite médicale de Roméo, il y a quelques jours : excellent état de santé et aucun problème de cœur.

– Une émotion peut-être...

– Une émotion abattre une telle bête ? Lucyle réfléchit. Véto va certainement pratiquer une autopsie.

Catwoman se leva si brusquement que la secrétaire sursauta.

– Pourquoi, Véto, effectuer une autopsie ?

– Roméo est mort d'une crise cardiaque. Or, il n'avait aucun problème de cœur. Aucun problème de santé. Je veux comprendre. Il a peut-être un virus, quelque chose d'anormal, il faut le déceler au plus vite.

– Mais... une autopsie... Vous allez ouvrir le ventre, l'abîmer. La Grande Galerie de l'Évolution apprécierait, j'en suis sûre, de posséder Roméo empaillé.

La secrétaire, madame Dubois, leva la tête, interloquée. Roméo, bête attachante, venait à peine de décéder et la directrice songeait à... Catwoman surprit son regard, se reprit :

– Comprenez-moi, j'ADORRRRE les bêtes ! Les empailler, les « éterniser » en quelque sorte, constitue un hommage.

– Je peux effectuer l'autopsie sans abîmer le corps, assura Véto. Je viderai les entrailles de la même façon que pour un empaillage.

Catwoman parut ennuyée. Elle jeta un œil vers sa secrétaire. Madame Dubois rangeait des dossiers.

– Vous y tenez vraiment, Véto ?

Dans sa voix perçait une menace. À ses pieds, Baby se dressa, grogna. Véto recula.

– Ce sera comme vous voulez. Mais ne pas pratiquer une autopsie alors que c'est l'usage au zoo, à chaque mort d'animal, va paraître suspect.

– Bon, bon... J'attends votre rapport.

Véto se dirigea vers la sortie. Il sentit, posées sur lui, les deux paires de regards perçants, celui de Catwoman et celui de Baby.

Il remarqua sur la table l'énorme bouquet de glaïeuls jaunes et rouges.

– Véto ?

– Oui ?

– Le rapport, vous me le remettrez sans le communiquer à qui que ce soit, compris ?

– Compris.

– Regarde, Gazou, Juliette ne quitte plus la banquise.

– Cette mort si soudaine est un véritable choc pour elle, répondit Lucyle. Elle est capable de se laisser mourir de chagrin. Je demanderai à Véto le résultat de l'autopsie de Roméo.

Un triporteur débordant de pommes, carottes, oranges les klaxonna. Martial, surnommé le « Manchot » à cause de son éternelle blouse grise et de sa démarche un peu lourde, le conduisait.

– Il va donner à manger aux babouins, dit Sylvain. On rend visite à Raoul pour se remonter le moral ?

À leur arrivée, Raoul, comme toujours, fit le pitre. Sa casquette verte virevolta dans l'air.

– Un visiteur, hier, lui a lancé cette casquette pour s'amuser, expliqua Martial. Il ne veut plus s'en séparer. Bon, j'ai du travail, je vous laisse.

Le Manchot entreprit de nettoyer les excréments des babouins.

« Comment fait-il pour supporter l'odeur ? » songea Lucyle.

Catwoman reposa le rapport d'autopsie remis par Véto, quelques heures après la mort de Roméo.

– Très ennuyeux, très ennuyeux, murmura-t-elle.

« Arrêt subit du cœur provoqué par une dose de somnifère supérieure à la normale. » Quelques grammes en plus de la prescription, cela aurait pu passer pour une erreur humaine... Or, Catwoman le savait, cela était impossible : JAMAIS IL N'AVAIT ÉTÉ PRESCRIT DE SOMNIFÈRE À ROMÉO. À la lecture du rapport, n'importe qui pouvait comprendre que Roméo avait été tué. Sur le moment, elle n'avait pas réagi. Elle aurait tout de suite dû ordonner à Véto de détruire ce rapport, d'en établir un nouveau : « Simple crise cardiaque. » Il était encore temps. Elle allait le rappeler. Il s'exécuterait, ne parlerait pas.

Il avait remarqué le bouquet de glaïeuls.

– Alors, mon bébé ?

Baby lui lécha la figure, la bouscula.

– Hé, attention, tu as grandi, toi ! Tu n'es plus un tigron !

« Dose trop importante de somnifère... » Il ne fallait pas laisser traîner ce rapport.

Elle alluma son briquet. Le papier brûla.

Catwoman n'avait même pas sourcillé à la remise du rapport sur Roméo.

– Je compte sur vous, Véto, pour ne rien dire.

Maintenant, même lorsqu'ils étaient seuls, en l'absence de la secrétaire, elle le vouvoyait. Pour l'humilier.

– Si quelqu'un en a connaissance... Une mauvaise ambiance...

Il avait eu un petit rire.

– Que signifie ce rire ? avait-elle demandé, piquée au vif.

– Tu le sais très bien. L'ambiance est déjà... Puis il s'était tu.

Quand il était sorti, elle n'avait même pas eu un regard pour lui, lui qui...

Elle l'avait congédié comme un employé. Comme un malpropre.

« Elle n'a pas de cœur. Seul son tigre compte, songea-t-il en refermant la porte. Une tigresse elle-même. Une hyène. »

Elle allait réfléchir, le rappeler. « Roméo est mort d'une simple crise cardiaque, Véto. Vous refaites un rapport », allait-elle lui ordonner. Il le savait et... il s'exécuterait.

Il dépassa l'enclos des ours. Juliette se blottissait contre le bloc de pierre. Ce silence après les cris du matin...

2

« *Tout se déroule comme je l'ai programmé. Je hais les animaux. Demain, Opération Girafon.* »

Sylvain attrapa *Le Monde* sur le comptoir, s'assit sur la banquette. Dans le café, il régnait une ambiance chaleureuse contrastant avec le froid du dehors.

– Un chocolat chaud comme d'habitude ? demanda le serveur.

En cette fin d'après-midi, Lucyle n'allait pas tarder à le rejoindre. En fond, la radio égrenait la météo : « En ce 22 décembre, un radoucissement sur la capitale... Dans quelques jours la neige... »

Après la découverte de Roméo mort, la journée avait été difficile. Il parcourut le journal.

Soudain, un nom dans le « Carnet du *Monde* », écrit en gros caractères, attira son attention : ROMÉO. Un encart parmi les avis de décès.

« Juliette et ses amis de Vincennes, Girafon, les Demoiselles tête en bas, Raoul, Arthur et *tous* les autres membres du zoo ont la douleur de vous faire part du décès brutal de Roméo, mort dans sa neuvième année. »

– Quoi ?

Il relut. « Juliette et ses amis de Vincennes... »

Le juke-box cracha soudain du rap, couvrant la radio.

Que signifiait cet avis de décès ? Qui avait...? Catwoman ? Idée saugrenue ! Ridicule ! Étrange en tout cas. « Les Demoiselles tête en bas » ? Qui était-ce ? Pourquoi n'avoir cité que certains animaux ? Et pas le personnel ? Non, à y réfléchir, Catwoman, autoritaire, dominatrice, n'aurait pas rédigé un tel faire-part. « La directrice du zoo a la douleur... » aurait-elle plutôt... Non. Elle n'aurait même pas signalé la mort de Roméo. Mauvaise publicité pour un zoo que d'annoncer... Cet avis ressemblait à une farce. Il y a quelques heures à peine, Roméo décédait et...

– Quoi ?!

Il faillit renverser son chocolat. Roméo mourait le matin même et dans *Le Monde* du jour son avis de décès paraissait ?

– Je peux téléphoner ?

– Au sous-sol.

Il y avait un annuaire.

– Allô ! Le service des avis de décès, s'il vous plaît.

– Le « Carnet du *Monde* » ? Ne quittez pas.

Petite musique. Il attendit.

– Allô ! Vous désirez ?

– Le texte d'un avis de décès, paru ce matin, a dû vous être déposé ?...

– Tout avis doit être donné la veille, avant dix-sept heures, pour paraître le lendemain.

Il raccrocha, remonta les escaliers, pensif. Il se cogna dans Bertrand.

– Bonjour, Sylvain.

– Heu... Bonjour, Bertrand.

L'avis de décès de Roméo avait été communiqué au journal Le Monde *la veille...*

Lucyle était arrivée.

... Donc avant la mort de Roméo.

– Tu as l'air préoccupé.

Il lui tendit l'avis. Elle lut.

– Je viens de téléphoner : le journal est programmé le soir avant dix-sept heures pour le lendemain.

– Écoute, Sylvain, ce faire-part s'avère déjà étrange, n'en rajoute pas. Tu as mal compris.

Il fouilla dans ses poches, lui donna une pièce.

– Appelle-les.

Bertrand le regardait avec insistance. Que faisait le gardien de nuit dans ce café au lieu de dormir ?

Lucyle remonta du sous-sol.

– La veille pour le lendemain, tu as raison, Sylvain. Dans ce cas, cela signifie...

– Que quelqu'un savait que Roméo allait mourir.

– Et ce quelqu'un a fait paraître cet avis. Pourquoi ?

Ils restèrent silencieux.

– Et l'autopsie ? demanda enfin Sylvain.

– Véto a dit qu'il n'en avait pas fait.

– Pour quelle raison ?

– Il ne m'en a pas donné. Or, je sais que ce n'est pas vrai. On a transporté le corps de Roméo au labo. Ce n'est pas passé inaperçu et Véto y est resté seul au moins une heure. Je suis sûre qu'il y a un rapport, et crois-moi, à l'insu de Véto s'il le faut, j'en aurai connaissance.

La girafe, confiante, suivit la main qui la caressait.

– Brave Chloé.

Girafon, minuscule au côté de sa mère, dormait. La main le tira difficilement. Il pesait tout de même soixante-dix kilos. Girafon se réveilla, résista. La main le traîna vers l'extérieur de l'enclos. Du regard, Girafon appela sa mère au secours. Elle ne dit rien, ne fit rien.

Une fois hors de l'enclos, le coup tomba sur le crâne sans bruit. Girafon n'eut même pas un cri.

L'eau du bassin n'était pas gelée. La main l'enfonça jusqu'aux oreilles, attendit quelques minutes.

Des bulles remontèrent à la surface.

– Toutes ces girafes à genoux dehors, au bord du bassin, alors qu'elles auraient dû être à l'intérieur, m'ont immédiatement intrigué.

Martial en bégayait. Il ajouta comme pour excuser son émotion :

– J'ai aidé Véto à mettre Girafon au monde.

Le vétérinaire acquiesça d'un mouvement de tête.

– Allez, mon vieux, du courage.

Lucyle eut un soupir. Le spectacle était des plus désolant. Hier, Roméo, aujourd'hui...

Des exclamations des touristes parvenaient des allées voisines. Catwoman avait ordonné de condamner celle des girafes qui restait déserte. Chloé, hébétée, ne quittait pas du regard le bassin d'où émergeait le corps de Girafon, inerte. Dans ses yeux, une incompréhension totale. Véto lui caressa le flanc. Elle recula, soudain apeurée.

– Eh bien, ma brave, que se passe-t-il ? bafouilla-t-il. Vous m'aidez, Manchot... heu Martial, le temps de repêcher Girafon, il faut éloigner Chloé. Toutes les éloigner, les faire rentrer dans leur enclos. Elles vont prendre froid.

Ce ne fut pas une mince affaire.

Le corps de Girafon, rempli d'eau, apparut, difforme. Véto paraissait ébranlé.

« Il va pratiquer une autopsie, pensa Lucyle. Cette fois, j'exige d'y assister. »

– Dites, Véto, commença-t-elle.

Une voix la coupa.

– Véto ! Véto !

Loïc accourut :

– Véto, Cat... Blanche Guyot te demande d'urgence.

– Bon, Martial, vous transporterez le corps de Girafon au labo.

L'entretien entre la directrice et Véto pouvait ne durer que quelques minutes. Lucyle devait agir vite. Si elle ne trouvait pas le rapport d'autopsie de Roméo aujourd'hui, pendant que Véto était convoqué chez la directrice – convoqué, c'était le mot, Catwoman ne considérait pas ses collaborateurs comme des collègues mais comme des sujets tout à son service –, elle ne le connaîtrait jamais. Une chance, la porte du bureau du vétérinaire n'était pas fermée à clé.

– Tu as tapé le rapport d'autopsie de Roméo sur ton ordinateur, je suppose...

Nerveuse, Catwoman en oubliait de le vouvoyer, de l'humilier.

– Oui, bien sûr.

– Eh bien, tu oublies ce rapport, tu l'effaces. Tu m'entends ?

– Oui.

Elle lui parlait comme à un gamin. Ou plutôt comme une princesse qui s'adresse à un de ses sujets. Elle le rabaissait au grade de simple employé. Que croyait-elle ? Il n'était pas n'importe qui. Malgré tout, il ne pouvait s'empêcher... Mais, de plus en plus, la haine remplaçait l'amour si fort qu'il avait éprouvé pour elle. Le traiter ainsi alors que... La jalousie le tenaillait. Elle l'avait laissé tomber pour un autre. La preuve : le grand bouquet de glaïeuls dans son bureau. Elle l'avait laissé tomber parce qu'il ne lui était plus utile maintenant qu'elle avait réussi, grâce à son aide, à s'imposer dans le zoo.

– J'ai horreur de la mauvaise publicité. Si quelqu'un en avait connaissance... Je ne veux pas qu'on mette le nez dans MON zoo. Alors, ce rapport, tu le détruis et tu en établis un nouveau. Roméo est mort d'une simple crise cardiaque, d'accord ?

On frappa. Baby grogna.

— Qu'est-ce que c'est ? hurla Catwoman.

Madame Dubois entra.

— Encore une livraison de fleurs, madame.

Catwoman eut un sourire flatté.

— Posez-les là.

Le bouquet, jaune et rouge comme celui de la veille, illumina la pièce.

— Un admirateur ? ironisa Véto.

Elle ignora la réflexion, jeta un œil sur le carton agrafé au bouquet : « De la part de Fragrance. » Elle plongea son nez dans les fleurs.

— Quel parfum !

Elle se ressaisit.

— Pour Girafon, tu comptes faire une autopsie aussi ?

— C'est mon travail.

Elle tapa nerveusement sur le bureau.

— Toutes ces morts, bientôt, vont se savoir.

Tu pratiques l'autopsie seul, compris ? Et tu me soumets le rapport avant.

Elle se leva, menaçante, ressemblant à Baby.

– En aucun cas, je ne veux que ces histoires ME nuisent.

Il serra les dents. Comment avait-il pu en être amoureux fou ? Elle n'était qu'une séductrice, usant de son charme pour mieux asseoir sa domination. Elle n'aimait pas les animaux. Elle n'aimait pas les humains. Elle les utilisait seulement pour mieux régner. Elle méritait...

3

Lucyle repéra l'ordinateur sur le bureau. Elle avait remarqué que Véto possédait deux valises : sa mallette de vétérinaire et l'autre, plus petite, l'ordinateur portable. Son cœur se mit à battre. Vite. L'écran s'alluma.

Document 1 Document 2

Elle appuya sur Document 1. Mot de passe ? clignota. Elle paniqua.

« Évidemment, il faut un mot de passe ! » s'énerva-t-elle.

À tout hasard, elle pianota VETO.

Mot de passe incorrect !

Le vrai nom de Véto : SAUVAGE.

Mot de passe incorrect !

Son prénom ? YVAN.

Mot de passe incorrect !

Elle soupira, découragée.

Soudain, elle referma précipitamment le portable : des pas dans le couloir ! Elle entrebâilla la porte. Que faisait Loïc ici ? Les pas s'approchèrent, hésitèrent devant la porte de Véto, puis s'éloignèrent.

Elle rouvrit l'ordinateur.

ZOO. VINCENNES.

Mot de passe incorrect !

Elle sursauta à nouveau. Des pas encore. Mais des pas discrets : quelqu'un marchait sur la pointe des pieds. Elle se faufila derrière la porte.

La poignée tourna.

Elle crut qu'elle allait...

– Sylvain !

Elle respira, soulagée.

– Ah ! Gazou, je te cherche partout.

Elle le tira par la manche. Il aperçut l'ordinateur.

– Le rapport d'autopsie ? Génial !

– Génial, génial ! chuchota-t-elle. Impossible de trouver le mot de passe.

– Tu as essayé ROMÉO ?

Mot de passe incorrect !

À tout hasard, elle tapa JULIETTE. Non.

– Et CATWOMAN ? dit soudain Sylvain sans trop savoir pourquoi.

Lucyle le regarda, intriguée.

– CATWOMAN, Gazou.

Non.

– GUYOT.

Non.

– Quel est son prénom déjà ?

– Blanche.

– Tape BLANCHE. BLANCHE, je te dis, Gazou.

Mot de passe correct.

Sur l'écran, la liste des animaux du zoo par ordre alphabétique apparut : APOLLINE, ARTHUR...

– Vite, ROMÉO !

ROMÉO, OURS POLAIRE : État de santé

Visites médicales...

Autopsie.

– Vite !

Ils se regardèrent soudain : quelqu'un dans l'allée ! Sylvain courut à la fenêtre.

– C'est Véto !

Lucyle appuya sur impression. Petit ronronnement. Lent. L'imprimante n'en finissait pas. Enfin, elle cracha le rapport.

– Attends, Sylvain.

– Tu es folle, il arrive !

Elle appuya sur Document 2 puis le code : BLANCHE.

Mot de passe incorrect !

Dans le couloir les pas de Véto résonnèrent. Ils eurent juste le temps de filer.

« Roméo est décédé d'une crise cardiaque à six heures cinq minutes. L'arrêt subit du cœur a été provoqué par une dose de somnifère supérieure à la normale. Ce somnifère a été donné à l'ours sous forme d'injection. Une piqûre de seringue apparaît sous la fourrure au niveau de l'épaule droite. L'analyse des entrailles permet d'affirmer que l'animal avait mangé normalement la veille. »

– Roméo est mort à cause d'un somnifère.

Je ne comprends pas, dit Lucyle, il ne prenait pas de somnifère.

– Quelqu'un lui en a administré exprès, en dose importante... pour le tuer. C'est un meurtre !

– Et Girafon aussi, peut-être... Je vais me rendre au labo, pour l'autopsie.

Véto alluma l'ordinateur.
Document 1.
Il tapa BLANCHE.
ROMÉO. Rapport d'autopsie, puis Modifier.
Il tapota : Roméo est mort d'une simple crise cardiaque...
Il décrocha le téléphone.

– Allô ! Martial ? Vous avez transporté le corps de Girafon au labo ?

Le Manchot allait le faire.

Véto soupira : le rapport de Girafon, il pouvait le taper à l'instant, directement sur l'ordinateur, sans avoir à se déplacer jusqu'au labo.

Comme la météo l'avait prévu, le ciel annonçait la neige. Sylvain croisa de nombreux enfants. C'étaient les vacances de Noël.

« D'abord Roméo. Puis, certainement, Girafon. Pourquoi ? Et qui ? »

— Bonjour, Juliette.

L'ourse se tenait prostrée près de la banquise. Martial sortait de l'enclos.

— Bonjour, Sylvain.

— Bonjour, Martial. Comment va-t-elle ?

— Elle refuse de s'alimenter. Elle se terre ou tourne en rond durant des heures.

— Regardez le nounours ! crièrent des enfants.

— Agathe ! Quentin ! Attendez-nous.

Les cris, les rires devenaient insupportables quand on connaissait le drame de la veille et celui du matin. À douze heures d'intervalle à peine.

— Elle va faire une dépression, continua Martial. Chloé aussi. Toutes les girafes restent abattues. Pauvres bêtes !

— Véto vous a dit ce qu'il pensait de... l'accident de Girafon ?

Sylvain sentit en le prononçant que le mot « accident » sonnait faux.

— Non. Bon, j'y vais.

Le Manchot s'éloigna.

Sylvain continua son chemin. De nombreux animaux, à cause du froid, se réfugiaient dans leur cahute. Seuls les lions restaient dehors en hiver. Il dépassa les zébus.

Et Raoul ? Il eut une soudaine envie de voir le babouin. Et s'il arrivait malheur à Raoul ?

Celui-ci sautait à la corde – casquette, corde à sauter, les touristes ne savaient qu'inventer – devant un groupe d'enfants. Un vrai spectacle à lui tout seul.

Porte Dorée, le vacarme des voitures lui parut assourdissant.

Lucyle eut un haut-le-cœur. Le labo empestait.

– Vous me le déposez là, s'il vous plaît, demanda Véto.

Martial déposa le corps tout raide de Girafon et ressortit. Le vétérinaire se pencha.

– Qu'en pensez-vous ? demanda Lucyle.

– Que vous ne devriez pas assister à cette autopsie.

– Pourquoi donc ?

– Parce que.

– Je vous l'ai dit, Véto, cela fait partie de

mon stage. Si vous refusez que j'y assiste, je vais voir la directrice.

Véto haussa les épaules.

– Puisque vous y tenez, restez, maugréa-t-il.

L'estomac du pauvre Girafon regorgeait d'eau ; sur ses épaules, des hématomes, et sur le crâne, une bosse. Impossible de ne pas voir : Girafon, d'abord assommé, avait été ensuite plongé de force dans l'eau.

– Alors ? demanda-t-elle.

Le vétérinaire allait-il minimiser ? Malgré les bleus, malgré le coup sur le crâne, prétendre à une banale noyade ? Ou ne rien dire ?

– Aucun doute, il a été noyé. On a tenu sa tête sous l'eau pendant deux bonnes minutes. Jusqu'à ce que...

Lucyle ne se sentait pas bien. Le cadavre de Girafon, et puis Véto la dévisageait bizarrement. Elle se sentit pâlir.

– Faudra vous y faire, dit-il. Des morts d'animaux, vous en aurez tout le long de votre carrière.

Elle respira un bon coup, se ressaisit.

— Et pourquoi aurait-on noyé ce bébé girafe ? Quel intérêt ?

— J'appelle le service de l'incinération, déclara Véto en ignorant la question. Le corps a séjourné dans l'eau durant sept ou huit heures. L'empaillage est impossible.

Puis il murmura pour lui-même :

— Tant pis si Catwoman est mécontente.

— Une erreur s'est glissée dans un avis de décès.

— La date de parution, s'il vous plaît, monsieur.

Sylvain sortit de sa poche *Le Monde* du 22 décembre.

— Le nom de la personne décédée ?

— Roméo.

La préposée lut sur l'écran : « Juliette et ses amis de Vincennes, Girafon, les Demoiselles tête en bas, Raoul, Arthur... »

— Vous voulez rectifier ?

— Non. Je voudrais savoir qui a fait paraître cet avis de décès.

– Impossible de vous renseigner : la personne n'a payé ni en carte bleue, ni en chèque et n'a pas envoyé de fax. Elle s'est déplacée et a payé en liquide.

Sylvain reprit son journal puis revint sur ses pas.

– À tout hasard, auriez-vous à faire paraître un avis au nom de Girafon ?

– Monsieur ou madame ?

– Girafon tout court.

Elle consulta l'ordinateur.

– Avec un G ? Non, rien. Ni pour aujourd'hui, ni pour demain.

« Girafon, retrouvé vers huit heures du matin, est resté dans l'eau, d'après Véto, sept ou huit heures. Donc il a été noyé vers minuit. »

« Tant pis si Catwoman est mécontente. Que signifie cette phrase ? »

Lucyle avait assisté Véto tout l'après-midi. Il était resté affable, très professionnel, mais il lui avait paru soucieux. Pourquoi ? La mort de Girafon ? Hypothèse probable : le vétérinaire avait donné naissance à Girafon. Mais peut-être aussi que cette mort le laissait de marbre. « Faudra vous y faire... Des morts d'animaux... »

Lucyle ne raisonnait pas ainsi. Elle s'attachait aux bêtes. Elle aimait leur parler, les caresser. Elle était peinée pour Roméo, pour Girafon.

« En tout cas, songea-t-elle, ce stage m'a confortée dans mon choix : vétérinaire de zoo. »

« Depuis combien de temps Véto exerçait-il à Vincennes ? »

« Document 2 avec un mot de passe introuvable. Le vétérinaire avait-il un secret ? Et si ce Document 2 contenait le récit des morts de Roméo et de Girafon ? Difficile à croire, un vétérinaire tuer... Pourtant... »

« Tant pis si Catwoman est mécontente. »

Lucyle soudain se posa une question : « Comment Sylvain a-t-il pensé à Blanche comme code ? »

« Mon programme s'exécute dans le moindre détail. Demain, Opération Les Demoiselles tête en bas. Je hais les animaux. Je hais les humains aussi. »

Quinze heures. Sa visite au *Monde,* finalement, lui avait pris peu de temps. Alors qu'il
aurait pu flâner dans Paris – illuminé pour les
fêtes de fin d'année – ou se réchauffer dans
un café, ses pas le ramenèrent au zoo. « Au
bercail, songea-t-il. Les animaux avaient des
attitudes d'humains et vice versa. »

Infatigable, Raoul mimait le clown devant
des enfants emmitouflés dans des anoraks.

– Raoul ! Raoul !

Le petit babouin tendit l'oreille, aperçut
Sylvain. Il lança sa casquette en l'air, la rattrapa
et accourut. Dans un coin, ses parents le sur-
veillaient de loin.

– Alors, Raoul, ça va ?

Derrière le grillage, le singe posa.

Sylvain éclata de rire, sortit son appareil
photo.

Le zoo, malgré les cris des enfants, restait
calme. Le temps à la neige assourdissait les
éclats de voix, de rire.

Un tracteur passa. L'heure du repas du soir,
bientôt. Loïc, un jour, lui avait permis d'assister
au « goûter » des fauves. Impressionnant ! D'un

croc, ils déchiquetaient un quartier de viande. Catwoman donnait-elle elle-même à manger à Baby ? Un coup de mâchoire et Baby pouvait défigurer un homme.

Il entra dans l'enclos des girafes. Celles-ci, en rond, semblaient tenir un colloque. Une couronne de têtes. Il les prit en photo. Chloé ? Il chercha la girafe, reconnaissable à sa tache noire en forme de U au-dessous de l'œil gauche. Le soigneur distribuait la luzerne sèche.

– Chloé ? demanda-t-il.

– La directrice a donné l'ordre de l'isoler dans le Grand Rocher. Les allées et venues la rendaient folle.

Sylvain poursuivit son chemin. Il s'assit sur un banc, face aux oryx.

« Si Girafon a été assassiné, comme le suppose Gazou, pourquoi Chloé n'a-t-elle pas défendu son bébé ? D'un coup de tête, elle pouvait éloigner l'assassin. »

« Oryx : animal menacé, en voie de disparition » informait le panneau.

« Un ours, un bébé girafe, pourquoi pas un oryx ? »

Il se leva, attiré soudain par un carton épinglé à un arbre. Un carton blanc encadré de noir comme... un avis de décès.

« Chloé a la douleur de vous faire part du décès de son fils, Girafon, âgé d'un mois. Ses obsèques ont eu lieu le 23 décembre. Son corps a été incinéré. »

« Quoi ! »

Il arracha le carton.

Il devait informer Catwoman.

Par trois fois, il était venu au bureau de Blanche Guyot. Le premier jour pour se présenter. Quelque temps après, elle l'avait sollicité pour une photo avec Baby. Elle avait posé, serrant le fauve dans ses bras comme un chien. Ridicule ! Il lui avait apporté le tirage le lendemain.

– Je peux voir la directrice ?

– Elle vient de sortir, répondit madame Dubois, et n'a pas dit quand elle revenait.

La porte du bureau était entrouverte. Sylvain aperçut sur le bureau l'énorme bouquet encore emballé. Des glaïeuls rouges et jaunes.

– C'est pour qui ?

La secrétaire haussa les épaules.

— Pour madame Guyot, évidemment. On l'a livré ce matin. Avec l'histoire de Girafon, elle a oublié de les mettre dans l'eau.

Madame Dubois reprit :

— De me demander de les mettre dans l'eau ! Alors je n'y ai pas touché. Elle est d'une humeur exécrable.

— Ah bon ?

Sylvain fit l'étonné.

— Elle s'est accrochée avec le vétérinaire, avec le groupe de saisonniers roumains arrivés la semaine dernière... Son autorité passe mal.

Sylvain sortit.

Il entendit de grands cris. Catwoman fonçait vers le bureau, Baby à ses côtés. Au lieu d'aller à sa rencontre, il fila.

Lucyle était rentrée. Il frappa au studio.

— Alors, l'autopsie de Girafon ?

— Il a été noyé. Je ne comprends pas comment Chloé a pu laisser faire. Les girafes devancent le danger. On les appelle les « sentinelles du désert ».

Lucyle en arrivait à la même conclusion que lui.

– À moins, continua-t-elle, qu'elle ne se soit pas méfiée parce qu'elle connaissait le tueur.

– Qui ? Un soigneur ? Véto ? Un des gardiens ? Et Roméo, tu crois...

– Même topo. Roméo s'est laissé piquer en toute confiance.

– Qui s'occupe des ours ?

– Un peu tout le monde, les soigneurs tournent.

– Moi, je suis allé au journal *Le Monde*. Quelqu'un a bien demandé la parution du faire-part mais impossible de savoir qui. Tiens, regarde ce que j'ai trouvé accroché à un arbre.

Lucyle lut l'avis.

– Une preuve de plus ! L'incinération de Girafon a eu lieu il y a moins d'une heure. L'assassin travaille forcément au zoo pour être au courant. Tu as montré ce carton à quelqu'un, Sylvain ?

– Je comptais avertir Catwoman et puis, au dernier moment...

Lucyle eut un sourire :

– Tu as eu peur de Baby ?

— Heu... Il y a un peu de ça. Je ne raffole pas de cette bébête-là.

— À mon avis, elle ne ferait pas de mal à une mouche, sauf pour défendre sa maîtresse. Au fait, Sylvain, ce matin, pourquoi m'as-tu soufflé BLANCHE pour le mot de passe ?

— Je ne sais pas. Mais Véto et elle se connaîtraient plus qu'ils ne veulent le laisser paraître que je n'en serais pas surpris. Pour Girafon, il faut prévenir la police, tu ne crois pas ?

— Oui, mais en informer Catwoman avant. Si on appelle la police sans son accord, outrage à Sa Majesté !

— On y va alors ?

Lucyle hésita :

— Ça peut attendre demain, non ?

— Alors un ciné, ça te dit ?

Devant le musée des Arts africains, un immense sapin éclaboussait de lumière les alentours.

— Le film t'a plu, Lucyle ?

— Oui, rentrons vite, ça caille.

Dans la rue, les gens marchaient aussi d'un pas pressé à cause du froid.

Elle sonna. Dans le pavillon, la silhouette de Bertrand se profila sur le mur en ombre chinoise, déformée, menaçante.

Le portail s'ouvrit.

Dans la nuit glacée, le zoo paraissait abandonné... et angoissant.

– Tu as peur ?

– Un peu, oui.

Derrière les grillages, plus aucune bête. Elles dormaient toutes dans leurs abris. Même Juliette, l'ourse, s'était résignée à intégrer sa grotte. Des cris retentirent soudain.

– Les oiseaux de nuit, murmura Lucyle.

– Si nous faisions un détour par les babouins.

Enclos vide aussi. Raoul devait dormir derrière les rochers avec ses parents.

Sylvain adressa un signe à Lucyle : du côté des autruches, une ombre s'éloignait.

– Qui c'est ?

– J'ai pas vu. Bertrand, peut-être.

– Je ne crois pas. Il était dans le pavillon il y a cinq minutes.

Chez les autruches, un calme total.

— Nous n'allons pas nous éterniser et jouer les gardiens. Rentrons.

Seul le logement des saisonniers roumains était allumé.

— Salut, Lucyle.

— Salut, Sylvain, à demain.

— De quoi je me mêle ! vociféra Catwoman. Je suis la directrice et assez grande pour prévenir la police si je le juge nécessaire. Vous ne faites pas partie du personnel, vous n'êtes que deux petits stagiaires...

— Viens, Gazou, on s'en va.

— Non, Sylvain ! Il y a eu des morts ANORMALES d'animaux et effectivement, madame, il est nécessaire de prévenir la police. Demain, d'autres animaux, peut-être...

— Vous êtes la stagiaire qui travaillait avec Véto ?

— Oui.

— Pourquoi dites-vous « morts ANORMALES » ? Vous n'avez pas assisté aux autopsies, que je sache.

Lucyle voulut répliquer. Sylvain répondit à sa place.

— Non, nous ne connaissons pas les rapports.

— Alors, de quoi vous mêlez-vous ? Roméo est mort d'une banale crise cardiaque, et Girafon... Pour Girafon, Véto n'a pas encore établi le rapport.

Pourquoi la directrice mentait-elle ?

— Un conseil : occupez-vous de ce qui vous regarde.

Baby grogna.

— Madame, des fleurs encore.

— Posez-les là, madame Dubois.

La secrétaire déposa l'énorme bouquet jaune et rouge sur le bureau. Dans deux vases, deux bouquets déjà embaumaient. Catwoman ne put s'empêcher de plonger son museau dans le nouveau.

— Bon, vous pouvez disposer maintenant, madame Dubois.

Décidément, elle était imbuvable.

Baby grogna une nouvelle fois.

— Entrez !

— Monsieur Martial insiste pour vous voir, annonça la secrétaire.

La blouse grise apparut.

– Les autruches, Madame, les autruches... bégaya-t-il.

– Quoi, les autruches ? Expliquez-vous, le Manchot ! rugit Blanche Guyot.

Comment osait-elle l'appeler le « Manchot » ? Devant tout le monde ? Son indélicatesse ne connaissait aucune limite.

– Les autruches ! Un grand malheur... Elles sont toutes mortes.

Lucyle dévisagea Catwoman. Celle-ci n'eut aucune réaction.

– J'arrive de suite, dit-elle seulement. Prévenez Véto et dites à Loïc de condamner l'allée. Je ne veux aucun public dans ce coin.

Elle regarda Lucyle :

– Je vais ordonner l'autopsie.

Roméo raide auprès de sa « banquise », Girafon noyé n'étaient rien à côté du spectacle affligeant des autruches. Les pauvres bêtes gisaient, éparpillées sur le sol gelé, comme foudroyées. On aurait cru à une mise en scène. Un tableau fixe. Elles allaient se relever...

Tout restait inerte.

Véto arriva, suivi du directeur du labo.

– Les écuelles ont été vidées de leur contenu, annonça Martial.

Catwoman se tourna vers Véto :

– Ce sera à t... à vous de nous dire ce qu'elles ont mangé.

Elle paraissait plus contrariée que peinée.

– Vous prévenez la police, cette fois ? demanda Sylvain.

Elle haussa les épaules et prononça cette phrase que Lucyle trouva terrible :

– La police ne se dérangera pas. Ce ne sont que des bêtes.

Véto s'avança :

– Si on n'intervient pas, à ce rythme, tout le zoo va y passer.

Le portable sonna.

– Allô ! Oui, oui, c'est moi, la directrice. Quoi encore ? Quoi ? Comment !

Il y eut un silence.

Elle raccrocha, s'adressa à Sylvain.

– Vous pouvez être content, jeune homme. J'appelle la police.

Elle ajouta :

– Loïc vient de trouver mort près du Grand Rocher un des saisonniers roumains. Bientôt nous fermerons le zoo ! Je vous laisse, Baby m'attend !

– Totalement cinglée ! Penser à son tigre alors que...

Lucyle désigna Véto et fit signe à Sylvain de se taire.

– Que fait-on ? demanda Martial.

Véto parut embarrassé.

– Inutile de procéder à l'autopsie de toutes. Transportez-en trois seulement au labo. Je vais appeler la Grande Galerie, leur demander si des autruches les intéressent.

Il se mit à compter.

– Onze, douze. Il en manque trois.

– Une chance, expliqua Martial. Elles n'ont pas touché aux graines, elles sont dans le « poulailler ».

Il partit de sa démarche particulière, revint avec une brouette dans laquelle il déposa un premier corps.

– Vous faites l'autopsie avec moi, Lucyle ?

Lucyle eut l'impression que Véto, cette fois, lui demandait de l'aider.

— Je vous suis.

— On passe quand même le réveillon ensemble, ce soir ? demanda Sylvain.

— Si tu veux.

Sylvain se rendit au Grand Rocher. Loïc était aux prises avec deux Roumains, dans une discussion visiblement animée. « Blanche Guyot, Blanche Guyot... » Le nom de la directrice revenait sans cesse dans le propos incompréhensible des Roumains. Puis ils s'éloignèrent, en colère. Sylvain s'approcha : à côté de l'enclos grillagé des vautours, un cadavre gisait, le crâne défoncé.

— Il s'appelle Loska. Vingt-deux ans à peine, soupira Loïc.

— Que s'est-il passé ?

— Je n'ai rien compris à ce qu'ils ont dit, répondit Loïc. Ils ne parlent pas bien le français. Catwoman vient de passer les voir, cela n'a fait qu'attiser leur fureur.

4

En ce 24 décembre, le temps virait à la neige. Sa famille, ses amis lui manquaient. Heureusement encore, Lucyle voulait bien passer le réveillon avec lui.

Le zoo vide de tout visiteur – les gens préparaient Noël bien au chaud chez eux –, on se serait cru sur une autre planète. Quelques animaux seulement, comme les ours et les lions, restaient dehors. La plupart se calfeutraient dans leur intérieur. Juliette restait blottie contre la banquise. Pauvre Juliette !

« Juliette et ses amis de Vincennes, Chloé, Girafon, les Demoiselles tête en bas, Raoul, Arthur et *tous* les autres membres... »

Il se tapa le front.

— Les Demoiselles tête en bas : les autruches, bien sûr !

Il y avait aussi le mot *tous* souligné.

« Animaux *et* humains, réalisa-t-il. Loska : la première victime parmi les humains ! L'assassin ne va pas s'arrêter là, murmura- t-il. Un fou qui a décidé d'exterminer le zoo ? Pourquoi ? Et surtout, qui ? "Girafon, les Demoiselles tête en bas, Raoul..." Raoul ! »

L'angoisse l'envahit. Le faire-part, véritable déclaration de guerre, énumérait les victimes : Girafon, les autruches...

Il courut comme un fou.

Le directeur du labo, Nicaud, sortait de l'enclos, pensif. Il ne vit même pas Sylvain.

Celui-ci longea le grillage.

— Raoul ! Raoul !

Une boule d'angoisse lui nouait la gorge.

— Raoul ! appela-t-il plus fort.

Il écarquilla les yeux, mais n'aperçut pas le babouin.

— Raoul !

Cri désespéré.

Pas de Raoul !

Tout allait si vite. Les morts, au zoo, se succédaient sans que l'on puisse...

Ce stage se transformait en cauchemar. Raoul n'était qu'un singe, pourtant Sylvain eut soudain envie de pleurer.

– Raoul ! Je t'en supplie, montre-toi.

Ses parents, pelotonnés l'un contre l'autre, dormaient dans un coin.

Sylvain ferma les yeux. Raoul avait été... Plus rien n'arrêterait le meurtrier désormais.

Il s'éloigna. Un dernier regard... Les parents de Raoul se levèrent. Sylvain soupira, soulagé : accroché au flanc de sa mère, le petit babouin dormait.

Le sentiment qu'il éprouvait pour Raoul pouvait paraître ridicule mais c'était ainsi. Pour Sylvain, Raoul symbolisait le zoo, tout comme Arthur, le bébé panda, le préféré de Lucyle.

L'avenue Daumesnil illuminée annonçait Noël dans quelques heures.

– Triste Noël pour le zoo, soupira Sylvain.

Il eut une pensée pour le groupe de saisonniers roumains.

— Et pauvre Loska.

Dans sa poche, le petit carton encadré de noir. En haut de l'avenue, il y avait une imprimerie.

La commissaire Yannick Sauvadet caressa Arsène qui ronronna de plaisir. Arsène, le chat du commissariat du douzième arrondissement, quand il ne se prélassait pas sur un bureau, daignait passer de service en service, tel un prince, acceptant ci et là une caresse.

Yannick Sauvadet se planta devant la fenêtre.

— Le temps vire à la neige, annonça-t-elle à son adjointe, la lieutenant Kaip Mazap, plongée dans un dossier. Les gens courent dans les magasins pour les derniers achats ou préparent chez eux le réveillon, ajouta- t-elle.

En ce 24 décembre, seules quelques disputes entre SDF ou quelques vols avaient été signalés.

— Cette année, pour une fois, Kaip, nous allons certainement pouvoir passer Noël chez nous.

La lieutenant Mazap sourit à l'idée du réveillon en compagnie de son fils, Vincent.

Le téléphone sonna.

– Allô ! Ici la commissaire Sauvadet, oui, j'écoute... Oui... Où cela ?... Au zoo... Bon, nous arrivons.

Elle raccrocha.

– Raté pour le réveillon, n'est-ce pas ? dit Kaip.

– Un crime au zoo de Vincennes. La directrice vient de me prévenir. Une excitée qui affirme que d'autres crimes vont suivre, en série. On y va ?

Elles attrapèrent leurs blousons.

Yannick referma le bureau, eut un soupir : sur la porte, on pouvait lire : « Luc Palmero. Commissaire divisionnaire ».

Le commissaire Palmero, promu, avait quitté Paris pour Nice. Yannick avait demandé le poste et Kaip, son adjointe depuis des années, l'avait suivie. Ils – l'administration – n'avaient pas encore changé la plaque.

Sylvain entra dans l'imprimerie.

– Nous fermons, dit le vendeur.

Bien sûr, un jour de réveillon.

– Je souhaiterais juste un renseignement.

Sylvain tendit le carton.

– Par hasard, est-ce vous qui avez imprimé ?...

– Certainement pas.

Devant la déception de Sylvain, l'homme ajouta :

– Mais je peux vous aider : ce caractère et ce format de carton sont typiques des machines à impression rapide installées dans le métro, dans les grandes surfaces.

– Ce qui veut dire... commença Sylvain, découragé.

– Que cet avis peut avoir été imprimé n'importe où.

– Impossible alors de retrouver celui ou celle ?...

– Absolument.

– Nous non plus, madame, cela ne nous amuse pas de nous trouver ici, un soir de Noël.

– Bon, bon.

Catwoman se radoucit, se pencha sous le bureau :

– Chut, Baby.

— Baby ? s'étonna Yannick Sauvadet.

La commissaire fit le tour du bureau, découvrit le fauve allongé aux pieds de sa maîtresse.

— Ce tigre est à vous ou au zoo ? Vous avez le droit de...?

Catwoman prit un air hautain :

— Baby m'appartient et j'ai parfaitement le droit de posséder un tigre comme animal domestique.

— Nous verrons cela en temps voulu, madame Guyot, coupa la commissaire. Vous nous conduisez à l'endroit où se trouve le cadavre, s'il vous plaît ?

Catwoman se leva. Cette commissaire et son adjointe, la lieutenant Mazap, n'avaient pas l'air commodes, ni faciles à duper.

— Madame Dubois ! cria-t-elle.

Celle-ci accourut.

— Je m'absente un instant.

— Bien, madame. Je ne vous reverrai peut-être pas. Je vous rappelle qu'aujourd'hui je pars plus tôt pour le réveillon.

— Vous êtes la secrétaire ? demanda la commissaire. Pourriez-vous me donner la liste de tout le personnel du zoo avec les fonctions de chacun ?

— Je vais la tirer sur l'imprimante, dit madame Dubois.

Une bâche recouvrait le cadavre du jeune Loska. Yannick Sauvadet souleva le plastique : le froid avait raidi le corps et la tache de sang sur le sol semblait gelée. Les vautours, dans leur cage, avaient l'œil fixé dessus. C'était sinistre.

— À vue d'œil, difficile d'établir s'il s'agit d'un accident ou d'un crime. Pourquoi Blanche Guyot a-t-elle parlé tout de suite de crime ?

Elle fit signe à son adjointe. Kaip sortit son portable.

— Allô, l'Institut médico-légal ? Un corps à prendre au zoo de Vincennes. Envoyez aussi Mery le photographe. Merci.

La nuit tombait.

— Que fait-on, Yannick ?

— Nous allons récupérer la liste du personnel auprès de la secrétaire et... La commissaire eut un sourire : Nous interrogerons tout le monde demain seulement.

– Excellente idée ! approuva Kaip.

– On passe d'abord au bureau et... direction chez nous.

– Désolé, Gazou, tous les restos du quartier sont réservés. Je voulais t'inviter pour passer une soirée...

– En amoureux ? finit Lucyle. Tu sais, Sylvain... Elle eut l'air embarrassée. J'aurais dû te le dire plus tôt, j'ai un ami... que j'aime. Il s'appelle Florian.

Sylvain eut un large sourire.

– Moi aussi, je ne savais comment te le dire. J'ai une amie, Clémence. Si elle vient à la fin du stage, je te la présenterai.

Ils éclatèrent de rire.

– Comme on peut s'imaginer des choses parfois ! Bien, maintenant que nous savons tout l'un de l'autre ou presque...

Sylvain sortit de son sac à dos champagne, pain de campagne, foie gras et chocolat.

– On s'installe où ?

– Par terre. Nous sommes encore étudiants, heureusement.

– À notre amitié ! trinqua Lucyle.

– Au zoo !

Sylvain s'était juré, mais dès le premier toast :

– Alors, l'autopsie des autruches ?

– Empoisonnement au cyanure mélangé à la nourriture.

– Moi, dit Sylvain, je n'ai pas avancé d'un pouce. Je me suis rendu à une imprimerie pour le carton. Il peut avoir été imprimé n'importe où.

– Il ou elle s'attaque à des humains maintenant. Monsieur Loska... Qui sera la prochaine victime ?

– Nous, peut-être, dit Sylvain.

Lucyle le regarda.

– Je ne plaisante pas, Gazou. Imagine que Catwoman, par exemple, soit la criminelle. Nous l'avons dérangée avec nos remarques sur les autopsies, notre demande de faire appel à la police. Crois-tu qu'elle soit du genre à hésiter...

« De quoi je me mêle... Vous n'êtes que deux petits stagiaires ! »...

– Effectivement, dit Lucyle, cette femme me paraît capable de tout.

— Hier après-midi, tu sais, quand je voulais demander à Catwoman de prévenir la police, j'ai discuté avec la secrétaire. Eh bien, figure-toi que, à chaque crime, Catwoman a reçu un bouquet de glaïeuls.

— Quoi ?

— Et...

Sylvain remplit à nouveau les coupes.

— Et ? demanda Lucyle.

— Et j'ai aperçu le carton sur le bouquet. Il y avait marqué « De la part de Fragrance ».

— Tu l'as pris ?

— Non, je n'ai pas pu.

— Fragrance ? murmura Lucyle. On dirait un nom de femme.

— Ou celui d'un amant. Attends...

Sylvain attrapa le dictionnaire des noms propres.

— Fragrance ? Non, y a rien.

— Et dans le dico des noms communs ?

— Fragrance ? « Fragmenter... Fragon... » Ah ! « Fragrance : odeur agréable, parfum », lut Sylvain.

— Étrange !

– Catwoman s'envoie peut-être des fleurs elle-même. Qu'en penses-tu ?

Lucyle eut un silence, puis :

– Je pense que le zoo est en danger.

Avant de quitter le zoo, Yannick et Kaip avaient récupéré la liste du personnel.

« Comment trouver un criminel parmi une centaine de noms ? » avait bougonné la commissaire.

L'affaire s'annonçait difficile, quasiment impossible à résoudre.

À leur bureau, le rapport du médecin légiste les attendait. Nouvelles techniques scientifiques, informatique, fax, en moins de deux heures, la police disposait désormais des premiers éléments pour avancer dans une enquête.

« Le corps présente des carences osseuses, dues à une sous-alimentation et à des conditions de vie et d'hygiène difficiles... La blessure particulièrement profonde sur la tempe droite permet d'affirmer qu'il y a eu chute d'au moins vingt mètres... La mort a été instantanée... »

— Nous voilà guère avancées. Ce Loska, réfugié roumain, a certainement été poussé du haut du Grand Rocher. Allez, bon réveillon, Kaip ! Bisou à Vincent.

— Bon réveillon, Yannick.

Dehors, la neige enfin s'était mise à tomber. Une fine pellicule recouvrait les voitures.

— Si vous n'êtes pas contente, madame, vous fermez votre zoo, déclara Kaip Mazap.

— Avec un panneau à l'entrée : FERMÉ POUR CAUSE DE MEURTRE ! ajouta Yannick.

— Oh ! Oh !

Catwoman suffoquait, choquée.

La commissaire agissait ainsi volontairement. Elle guetta la réaction de la directrice. Elle fut ce qu'elle attendait : Catwoman tenait par-dessus tout à la réputation de son établissement, à SA réputation.

— Nom ? Prénom ?

— Vous... vous me considérez comme suspecte ?

— Non, tout au moins pas encore, mais si vous le souhaitez, effectivement, nous pouvons...

Yannick Sauvadet, généralement affable, devenait désagréable. Les quelques mots échangés la veille avec Blanche Guyot ne lui donnaient aucune envie de la ménager.

— Je n'ai rien à dire, commissaire. Hier matin, Loïc, mon gardien de jour, a retrouvé un de mes hommes mort en bas du Grand Rocher...

« MON gardien de jour, un de MES hommes »...

Kaip regarda par la fenêtre. Le bureau de la directrice dominait le zoo. Une odeur agréable se dégageait dans la pièce. L'inspectrice remarqua les trois bouquets de glaïeuls rouges et jaunes disposés dans des vases.

— Dites-moi, madame Guyot, à quelle heure avez-vous appris cette mort ?

— Dix heures. J'étais avec le Manchot, enfin Martial, en quelque sorte mon homme de main, le vétérinaire et...

— Pourquoi avoir attendu dix-sept heures pour nous prévenir ?

– C'est-à-dire que...

– Quelles étaient les fonctions exactes de ce monsieur Loska ?

– Les saisonniers sont chargés de nourrir les bêtes. Je les engage à certains moments de l'année, aux vacances scolaires, entre autres, quand il y a beaucoup de visiteurs.

– Pourtant, si j'ai bien compris, il travaillait à la réfection du Grand Rocher.

– Heu... Je ne sais pas.

– Comment, vous ne savez pas ? En tant que directrice, vous leur avez établi un contrat, je suppose ?

Catwoman ne répondit pas.

– Ils sont assurés ?

– Heu...

– Vous me fournirez leur contrat de travail et leur dossier d'assurance.

Catwoman serra les dents.

– Vous nous permettez de circuler dans le zoo et d'interroger ?...

– Interrogez qui bon vous semble. De toute façon, c'est Noël, une grande partie du personnel est en congé aujourd'hui.

— Nous allons nous installer pour quelques jours. Si cela ne vous ennuie pas, je vais demander à votre secrétaire de nous trouver un local où nous ne dérangerons personne.

— À votre guise, répondit Catwoman à contrecœur. Elle hésita, puis : Autant que vous l'appreniez par moi tout de suite : il y a eu des morts d'animaux aussi : un ours, une girafe et des autruches.

— Des morts ? s'étonna Yannick. Puis elle ajouta : Des morts ou... des crimes ?

— Je... je ne sais pas.

Le ton de la commissaire se durcit :

— Madame Guyot, vous auriez dû nous dire cela dès notre premier entretien, hier. Nous vous écoutons.

« *La police erre dans le zoo.*
La police se perd en expectatives.
Je brouille les pistes.
Mieux, les pistes se brouillent d'elles-mêmes.
J'accomplirai mon programme jusqu'au bout.
Je hais les animaux.
Je hais les humains. »

– Que penses-tu de Blanche Guyot, Yannick ?

– Elle ne me plaît pas beaucoup, autoritaire, cassante.

– Elle aurait pu tuer, tu crois ?

– Monsieur Loska a certainement été poussé du haut du Grand Rocher.

– Et les animaux ?

– Bien qu'elle dirige le zoo, je n'écarterai pas l'hypothèse. Facile pour elle de s'introduire dans les enclos pour empoisonner les autruches.

– Le gardien de service l'aurait vue.

– Il peut l'avoir vue et ne pas être étonné. C'est la directrice. Il peut aussi l'avoir vue et ne rien dire. Tout le personnel la craint, est à sa botte. Tu as vu la secrétaire ?

Kaip regarda Yannick. En un rien de temps, sa supérieure cernait les gens, saisissait leur personnalité. Trente-cinq ans à peine, la commissaire avait à son actif de nombreuses affaires épineuses, dénouées grâce à sa psychologie. Difficile de la tromper.

– Et le girafon ? Un bébé girafe pèse au moins soixante kilos.

– D'après le rapport d'autopsie qu'elle nous a – difficilement – remis, l'assassin l'a d'abord assommé. Blanche Guyot paraît fragile, elle en use mais en fait elle est certainement forte, physiquement et psychologiquement.

– Pourquoi aurait-elle tué ?

– Pour vendre les animaux à un musée, à la Grande Galerie de l'Évolution par exemple.

– Un établissement d'État, tu crois ?

– On ne sait jamais. Tu appelleras la Grande Galerie. En ce qui concerne monsieur Loska, la secrétaire nous l'a confirmé : la directrice avait des problèmes. Monsieur Loska, au nom de tous les saisonniers, la plupart étrangers et en situation difficile, l'avait menacée : pas de contrat de travail, pas d'assurance, non déclarés, sous-payés... Dénoncée, elle pouvait perdre sa place de directrice.

– Elle l'aurait tué simplement pour...

– Le faire taire, oui, tout simplement.

– D'accord Yannick, mais les animaux ? Je pense à quelque chose : depuis deux jours, depuis le crime de Loska, il n'y a plus eu de mort, d'accord ?

— Jusque-là, d'accord.

— Supposons que, pour faire du tort à Catwoman — comme ils l'appellent tous —, Loska soit le criminel des animaux. Elle le découvre. Elle le tue. Ou le fait tuer. Ainsi, elle se débarrasse de celui qui assassine les animaux, et par là porte atteinte à la réputation de son établissement, mais surtout elle élimine celui qui risque de lui faire perdre sa place en dénonçant ses pratiques illégales.

— Ton raisonnement se tient, Kaip. Maintenant que nous avons plus d'éléments, j'interrogerais bien à nouveau le vétérinaire et le directeur du labo. On y va ?

— Je fais un saut à la Grande Galerie et je te rejoins.

Yannick tapa à un des carreaux. Le directeur du labo lui ouvrit. À l'intérieur de l'immense pièce, il faisait presque aussi froid qu'à l'extérieur.

— Bonjour, commissaire.

Difficile, cette enquête. Par quel bout la prendre ? Poser des questions au hasard.

– Monsieur Nicaud, vous travaillez au zoo depuis ?...

– Près de trois ans. Un peu avant l'arrivée de Blanche Guyot. J'ai connu l'autre directeur, monsieur Lefevre.

– Blanche Guyot et monsieur Lefevre s'étaient rencontrés ?

– Bien sûr, quelquefois.

Le directeur du labo hésita.

– Cela ne s'est pas très bien passé ? demanda la commissaire.

– En quelque sorte. Il avait l'impression d'être mis dehors.

– Il lui en voulait ?

– Je ne sais pas. Je vous laisse, j'ai du travail.

– Je pensais trouver ici le vétérinaire. Savez-vous où il est ?

– Il vient au labo pour les autopsies uniquement et, ces derniers temps, malheureusement... Je ne peux vous renseigner, je... ne connais pas son emploi du temps.

Yannick le regarda. N'avait-il pas eu une hésitation ? Les deux hommes ne s'entendaient peut-être pas très bien.

– Vous êtes appelés à coopérer ?

– Non, mais comme je vous le disais, les autopsies sont pratiquées ici.

– Vous y assistez ?

– Absolument pas.

Il consulta sa montre.

– À cette heure, vous le trouverez peut-être chez les pandas.

– Merci. Il fait un tour complet du zoo, tous les jours ?

– Oui, le matin, il commence par les fauves, puis les éléphants...

« Et il dit ne pas connaître l'emploi du temps du vétérinaire ! » songea Yannick en le quittant.

Celui-ci s'occupait effectivement des pandas en compagnie d'une jeune fille blonde.

– Quelques questions, la routine...

– La routine, la routine... Quand la police prononce ce mot, on sait ce que cela veut dire.

Tout comme Catwoman la veille, il se sentait considéré comme suspect.

– Je vous présente Lucyle Le Louërec, stagiaire vétérinaire.

– Lucyle Le Louërec ?

Yannick chercha le nom sur la liste donnée par la secrétaire.

– Je ne vous trouve pas sur la liste du personnel.

– Je ne suis que stagiaire...

– Stagiaire ou pas, vous devez figurer sur la liste. Vous êtes la seule stagiaire au zoo ?

– Il y a aussi Sylvain Léaud. Il effectue un stage pour ses études de photographie.

– Merci. Dites-moi, monsieur Véto, le poison utilisé pour les autruches était...?

– Du cyanure.

– Et Girafon ?

– Assommé puis noyé.

Yannick savait tout cela. Catwoman lui avait remis les rapports.

– Et Roméo ?

Véto hésita, puis :

– Simple crise cardiaque.

Lucyle tiqua.

– Il avait des problèmes cardiaques ?

– Heu... non, commissaire. Enfin, un peu...

– Il avait oui ou non des problèmes cardiaques ?

– Écoutez, je ne suis que le vétérinaire, interrogez la directrice.

Ironiquement, Yannick s'étonna :

– C'est elle qui effectue les autopsies ?

– Dieu merci, non !

– Alors ?

– J'ai d'autres chats à fouetter, vous voyez bien. Excusez-moi, les bêtes m'attendent.

La jeune stagiaire avait attrapé le bébé panda.

– Voici Arthur, dit-elle, mon préféré.

– Je dois vous interroger aussi. Je vous attends au pavillon 2. L'inspectrice Mazap et moi-même y restons jusqu'à ce soir.

– Hep, Yannick !

Kaip rejoignit sa supérieure, essoufflée.

– J'ai rencontré le directeur de la Grande Galerie. Un zoo n'a pas le droit de vendre les animaux qui peuvent être empaillés, il les donne.

– Donc, Catwoman n'avait aucun intérêt financier.

– Mais cela les a drôlement arrangés de recevoir un ours et des autruches. Ils en avaient justement besoin. Et toi, tu as avancé ?

– Non, rien. Mais j'ai envie d'approfondir la mort de Roméo. J'ai rencontré une stagiaire – non mentionnée sur la liste – qui m'a paru gênée quand Véto a déclaré que Roméo était mort d'une crise cardiaque. Un détail tellement infime. En conclusion, nous piétinons.

Elle parcourut une fois de plus la liste.

– Plus de cent noms, soupira-t-elle. Si nous découvrions seulement un indice qui nous réduise le nombre des suspects à cinq ou six. Qui interroger ? Les Roumains ? Ils ne parlent pas bien le français. Cela n'a pas donné grand-chose. On sait seulement que Catwoman les exploite. Véto ? Monsieur Nicaud ? Les entretiens n'ont guère été instructifs. L'interrogatoire du personnel soignant, des contrôleurs et des caissiers ne nous a rien appris. Restent les deux gardiens, celui de jour, Loïc, et celui de nuit, Bertrand.

— Et Martial, l'« homme de main » de Catwoman, comme elle l'appelle.

— Bertrand, vous êtes de service jusqu'à huit heures du matin. Et c'est Loïc qui vous relaye. En quoi consiste votre travail ?

— À des rondes. Je veille par exemple à ce qu'aucun étranger ne rentre la nuit.

— Et cela peut-il arriver qu'un étranger, la nuit ?...

— Impossible !

— Et vous n'avez rien remarqué, l'un ou l'autre, le jour où Loska est mort ?

— Non, répondit Loïc. Mais j'avais signalé à plusieurs reprises que les saisonniers ravalaient le Grand Rocher sans filet. Au départ, ils ont été engagés pour nourrir les animaux, et puis d'une chose à l'autre...

— Qui a découvert le corps de Loska ?

— C'est moi, je suis le gardien de jour. Je l'ai découvert vers neuf heures.

— Et Girafon ?

— Moi aussi, à huit heures.

— Et Roméo, à six heures du matin, c'est

vous Bertrand, le gardien de nuit, qui l'avez découvert ?

Loïc hésita, puis dit :

— Non, c'est moi.

La commissaire s'adressa à Bertrand :

— Je ne comprends pas, c'est vous le gardien de nuit, pourquoi est-ce Loïc...?

Les deux hommes se regardèrent, ennuyés.

— Ben, voilà... commença Bertrand. Vous promettez de ne rien dire à Cat... à la directrice ? Je ne voudrais pas perdre ma place, j'ai une femme, deux enfants, je tiens à mon travail.

— Au fait, monsieur Bertrand, au fait.

— Le jour de la découverte de Roméo, je n'étais pas au zoo.

— Bien. Où étiez-vous ?

— À l'hôpital.

Bertrand hésita. Loïc lui fit signe de poursuivre.

— Je suis malade. Le cœur. J'ai un pacemaker et je suis contrôlé régulièrement. Je vais à l'hôpital sans avertir la direction. Je m'arrange pour la garde la nuit.

— Avec Loïc ?

— Avec Loïc et avec Martial aussi. Ils me couvrent. Blanche Guyot serait capable de me renvoyer.

— Quel hôpital ?

— Saint-Antoine, le service du docteur Detertre.

— Nous vérifierons, bien évidemment. Et la veille de la mort des animaux, enfin des crimes, vous n'avez rien remarqué, Loïc ?

— Rien.

— Et où trouver ce Martial ?

Loïc consulta sa montre.

— À cette heure, il s'occupe des zébus.

Lui aussi connaissait l'emploi du temps de ses collègues par cœur.

5

– Monsieur Martial ?

– Oui.

L'homme suait à grosses gouttes malgré le froid saisissant.

– Nous pouvons vous poser quelques questions ?

– À propos du crime ?

Avec sa pelle, il dégagea la neige, prit une fourche et remua le fumier. Yannick Sauvadet s'écarta. Comment pouvait-il supporter une telle odeur sans broncher ? L'habitude, certainement.

– Cela ne vous dérange pas que la directrice vous sollicite pour toutes ces tâches ?

– Au contraire. J'aime toutes les bêtes.

– Et au titre de « second » en tout, si je puis m'exprimer ainsi, vous disposez des clés de tous les enclos ?

– Oui.

– Et qui d'autre ?

– Véto, Loïc, Bertrand, le directeur du labo et madame Guyot.

Il semblait pressé de nourrir les zébus.

Les policières le laissèrent.

– C'est plutôt un brave type, tu ne crois pas, Yannick ? Tellement brave et travailleur que les autres en profitent un peu, non ?

– Un brave type, oui, comme Loska, répondit la commissaire.

– Que veux-tu dire ?

– Que, comme Loska, il peut tout aussi bien être victime que criminel.

Quand elles arrivèrent au pavillon, Lucyle les attendait avec un jeune homme.

– Sylvain, dont je vous ai parlé.

Kaip nota les noms et prénoms.

– Donc, tous deux, vous effectuez un stage au zoo...

Les étudiants n'allaient rien leur apprendre !

– Dites-moi, Lucyle, vous permettez que je vous appelle Lucyle, en tant que stagiaire vétérinaire, vous assistez aux autopsies ?

– Oui.

– Vous avez donc eu connaissance du rapport relatif aux autruches ?

– Absolument.

– Et de celui de Girafon ?

– Oui.

– Et de Roméo, l'ours ?

– Heu…

– Véto a déclaré devant vous ce matin que Roméo était mort d'une banale crise cardiaque et vous m'avez paru troublée.

Sylvain prit doucement le bras de Lucyle.

– Il vaut mieux tout dire, Gazou.

Lucyle fouilla la poche de son jean. Elle tendit une feuille :

– Le premier rapport d'autopsie de Roméo.

Yannick Sauvadet le parcourut.

– Je ne comprends pas. La directrice m'a donné un rapport tout à fait différent. Comment avez-vous eu celui-ci ?

Elle écouta les explications de Lucyle.

— Et pourquoi le vétérinaire mentirait-il ?

— Nous ne le savons pas.

— Vous pensez qu'il peut être l'auteur des crimes, suggéra Yannick, et qu'au début, pour ne pas éveiller les soupçons, il a préféré passer sous silence le rapport sur Roméo ?

— Oui, nous pensons aussi qu'il est sous la coupe de Catwoman.

— Hum, hum... Hypothèse gratuite... Vous ne semblez pas beaucoup aimer Blanche Guyot.

— Nous ne sommes pas les seuls.

— Vous n'avez rien d'autre à nous signaler ? Un détail ?

Sylvain sortit de son sac à dos l'article du *Monde* et le carton faire-part du décès de Girafon.

— Ceci. Je vous explique...

Les deux policières écoutèrent, silencieuses.

— Ça change tout, dit enfin Yannick, le criminel *veut* que l'on sache qu'il va tuer.

— Et la phrase « et *tous* les autres membres » est une menace, déclara Kaip.

— Sauf si Loska est le tueur.

– Dans ce cas, il a un complice. Il ne parle pas français et pour l'avis dans *Le Monde*... Quelque chose me chiffonne. Si le criminel prévient qu'il va tuer, il ne peut s'agir de Véto qui, au contraire, a caché la véritable raison de la mort de Roméo.

– Au fait, demanda Yannick, comment avez-vous eu ce rapport ?

Sylvain et Lucyle se regardèrent, puis se décidèrent. À nouveau, les policières écoutèrent en silence.

Lucyle s'exclama soudain :

– Dans Document 2, Véto relate peut-être les crimes !

– Nous nous en occuperons, déclara Kaip. En tant que vétérinaire stagiaire, Lucyle, vous étiez présente lors de la découverte des cadavres des animaux ?

– Heu... non. Je suis arrivée un peu après. Par contre j'ai assisté au repêchage de Girafon et, sur le moment, cela ne m'a pas trop étonnée mais, maintenant que je m'en souviens, Chloé, la girafe, oui, a reculé quand Véto a voulu la caresser, ce qui ne lui arrive jamais.

– Comment ça ?

– Comme si elle avait peur de lui.

– Moi, j'étais présent à la mort de Roméo, dit Sylvain. Je m'étais levé de bonne heure et le hurlement de Juliette m'a alarmé.

– Quelle heure ?

– Six heures, environ. Roméo venait juste de mourir, le corps était encore chaud.

– Et qui était là ? C'est très important, Sylvain. D'après le rapport que vous venez de me donner, la dose de somnifère était très forte. Il a agi rapidement. Si Roméo venait juste de mourir, l'assassin n'a pas eu le temps de repartir. Il a certainement fait semblant d'accourir.

Sylvain réfléchit.

– Il y avait Véto, bien sûr, qui a constaté la mort, le directeur du labo, Catwoman – ils logent tous trois sur place de temps en temps – et Loïc, le gardien de jour.

– C'est tout ?

– Catwoman a appelé Martial pour qu'il aide à transporter Roméo.

– Il n'était pas là avant ?

– Non, je ne crois pas.

— Une dernière question, Sylvain. Véto avait-il avec lui sa valise de vétérinaire ou a-t-il dû aller la chercher ?

— Attendez que je me souvienne. Quand je suis arrivé, il était déjà là... avec sa mallette.

— Cela ne vous a pas intrigué ?

— Non.

— En pleine nuit, un animal grogne, il court, se précipite chargé de sa mallette comme s'il savait déjà...

Yannick se tourna vers Lucyle :

— Et vous, cela ne vous étonne pas ?

— Ma foi non. Il a pu prendre sa mallette par réflexe, comme un médecin.

— Je vous remercie.

— Commissaire, un détail me tracasse. Sur le moment, je n'y ai pas fait attention...

— Quel détail, Sylvain ?

— Eh bien, devant Juliette qui hurlait à la mort, Catwoman a crié : « Faites quelque chose ! » et Loïc a dit : « Si j'entre, elle peut ME tuer. »

— Vous voulez dire qu'elle aurait reconnu en Loïc celui qui aurait piqué Roméo ?

– Peut-être.

La commissaire récapitula :

– Véto, Loïc, Catwoman, le directeur du labo et Martial, dit le Manchot. Tous avaient les clés des enclos, tous étaient présents lors de la découverte des crimes.

– Reste à vérifier l'alibi de Bertrand, remarqua Kaip.

– On peut partir, commissaire ?

Yannick les fixa droit dans les yeux :

– Le criminel peut aussi être un de vous deux.

– Commissaire ! Commissaire !

Martial s'arrêta, essoufflé.

– Madame Guyot vous demande d'urgence.

La directrice semblait hors d'elle. Finalement, quand elle ne jouait pas à séduire, elle piquait des crises. Elle tendit une lettre.

– Lisez, commissaire !

« Blanche Guyot. Tu as prévenu la police. Cela ne m'arrêtera pas. Blanche Guyot, je détruirai ton zoo et toi avec. »

– J'exige, commissaire, que vous inter-
veniez !

Yannick la stoppa net.

– Nous n'avons aucun ordre à recevoir de
vous, madame.

Catwoman bafouilla, puis se tut. Baby, à ses
pieds, grogna à sa place.

Kaip referma son téléphone portable.

– L'alibi de Bertrand, le veilleur de nuit,
tient la route. Je viens d'avoir le docteur
Detertre : Bertrand a été opéré dans la nuit du
21 au 22 décembre, date de la mort de Roméo.
En outre, le médecin est formel : impossible à
un homme ayant un pace-maker de tirer un
poids comme celui de Girafon.

– Eh bien, un suspect de moins, Kaip.

– Reste donc Véto, Loïc, Catwoman, Martial
et le directeur du labo.

– Tu considères toujours Catwoman comme
suspecte malgré la menace qu'elle a reçue ?

– Plus que jamais. Elle est capable de s'envoyer des menaces pour détourner les soupçons.

– Que fait-on ?

– Deux rapports différents pour une seule autopsie. Un nouvel entretien avec le vétérinaire s'impose, non ?

Les flocons tombaient, denses, serrés. Les pas des policières crissèrent dans la neige gelée. Noël : le zoo était fermé.

– Ce paysage me rappelle la campagne de mon enfance, dit Kaip. Il est magique.

Le zoo sous la neige, silencieux, avait en effet quelque chose de féerique.

– Pourtant, des crimes y ont eu lieu, murmura Yannick.

Elles trouvèrent Véto à la clinique, en train de soigner un héron blessé à la patte. Il releva à peine la tête.

– Encore vous ! maugréa-t-il.

– Vous en avez pour longtemps, Véto ?

– Quelques minutes.

Le héron se releva. Véto l'enferma dans une cage.

– Allez, encore un jour ou deux ici et après tu retrouveras les tiens.

Il se lava les mains.

Yannick attaqua de suite.

— Vous maintenez toujours que Roméo est mort d'une banale crise cardiaque.

— Mais...

La commissaire lui brandit sous le nez le rapport donné par Lucyle.

Elle commença à lire : « Roméo est décédé d'une crise cardiaque à six heures cinq minutes. L'arrêt subit du cœur a été provoqué par une dose de somnifère... »

Il blêmit.

— Pourquoi avoir tapé un faux rapport ? Cela vous met en tête des suspects.

— Cela ne veut pas dire que j'ai tué.

— Peut-être, mais la secrétaire, madame Dubois, affirme vous avoir entendu échanger des propos violents avec Blanche Guyot.

— Elle n'a pas été tuée, que je sache. Le fait que je me sois accroché avec...

Yannick Sauvadet se planta devant lui.

— Voyez-vous Véto, Loska, les bêtes ont peut-être été tués à cause de la directrice. L'hypothèse est logique : s'en prendre à ses animaux est un moyen pour se venger d'elle.

Or, d'après la secrétaire, vous en vouliez à Blanche Guyot.

— Non, bégaya le vétérinaire.

— Bon, nous allons nous rendre chez vous et consulter votre ordinateur.

— Mon ordinateur ? Pourquoi ?

— Pour lire un certain Document 2.

Le vétérinaire devint livide. Yannick eut l'impression qu'il allait s'évanouir. Il marmonna :

— Document 2 ? Document 2 ? Comment pouvez-vous en avoir eu connaissance ?... Oh, après tout, qu'on en finisse !

Les rôles étaient presque inversés : Véto devant, suivi des deux policières. Plus que résigné, il semblait à présent résolu.

— Voici mon bureau.

Il ouvrit la porte.

Sauvadet s'avança :

— Et pas d'entourloupette ! Je vous déconseille d'effacer « par mégarde » votre Document 2.

Le vétérinaire attrapa sa mallette.

— Allez-y, ordonna la commissaire, tapez votre code secret.

Le texte apparut sur l'écran. L'inspectrice Mazap appuya sur IMPRIM. L'imprimante cracha cinq feuilles.

Le vétérinaire, pâle comme un mort, s'assit sur le bord du lit. Une terrible anxiété se lut sur son visage. Yeux cernés, joues creuses, il apparut soudain à la commissaire comme au bout du rouleau.

Kaip saisit les feuilles.

— Je te les lis, Yannick ?

Yannick guetta la réaction de Véto. Il eut un imperceptible mouvement de révolte puis soutint le regard de la commissaire, comme pour lui montrer que tout lui devenait égal à présent.

— Oui, lis-les.

« Deux ans que je souffre en silence. Je l'ai tellement aimée. Pourquoi agit-elle ainsi ? Pourquoi détruit-elle tout... jusqu'aux gens ? »

Kaip continua la lecture. « Elle », il s'agissait sans aucun doute de la directrice. Véto ne bougeait pas, raide comme un condamné. La

commissaire devina en lui une tension exces-
sive, une émotion intense qu'il essayait de maî-
triser. Soudain, il tourna la tête vers la fenêtre.
Il décidait, aurait-on dit, que la lecture du lieutenant ne le concernait pas.

Lucyle avait raison, Document 2 était un
aveu. L'aveu d'un homme à bout, désespéré, qui
se confiait à son ordinateur.

« ... Je ne suis qu'une ruine.

J'aurais voulu ne jamais la connaître... »

« Amertume, déceptions... » Les mêmes
mots revenaient en leitmotiv d'une souffrance
intolérable.

« ... Je voudrais qu'elle souffre à son tour,
comme j'ai souffert. Mais a-t-elle seulement un
cœur ? Elle est capable de tout. Que lui trouve-
t-elle à ce nigaud de Nicaud ? Il est son nouvel
amant. Je me vengerai. »

Le récit s'arrêtait là. Véto releva la tête.
Il semblait à la fois effondré et lointain.

– Vous avez aimé, vous aimez la directrice.
Avec une telle menace écrite, vous compren-
drez, Véto...

Il ne répondit pas, replongea dans ses pensées.

La commissaire éleva la voix :

– Véto !

Il sursauta, sembla revenir à la réalité. Sa tête s'enfonça dans ses mains.

– Je n'en peux plus, je n'en peux plus, sanglota-t-il. Emmenez-moi.

– Vous avouez les crimes ?

Il ferma les yeux, comme pour chasser des images de son esprit.

– Oui, emmenez-moi, qu'on en finisse, qu'on en finisse.

Dans sa voix, perçait comme une supplique.

C'était bien la première fois qu'une enquête était résolue aussi vite. Véto n'avait opposé aucune résistance. Au contraire même. Pour gagner la voiture de police, il devançait les policières.

– On informe Catwoman, Yannick ?

Celle-ci hésita.

– J'appellerai du bureau.

« Je me vengerai. » C'était écrit noir sur blanc. « Et Véto a avoué », songea Yannick. Elle allait prendre la déposition du vétérinaire. Il avait passé la nuit en garde à vue au commissariat. Comment allait-il réagir ? Parfois les gardes à vue, au moment de la déposition, niaient les aveux de la veille. Arsène vint se frotter à ses mollets. Aussitôt, sans le vouloir, la commissaire pensa à Baby.

Elle regarda par la fenêtre. La neige recouvrait les trottoirs. « Le zoo doit être tout blanc. » Elle n'arrivait pas à se détacher de ce monde particulier, marginal, qui, insidieusement, collait à la peau.

« Je me vengerai. »

Yannick reposa le Document 2. Véto, certes, avait avoué mais la question restait : pourquoi avait-il tué des animaux : Roméo ? Girafon ? Et un homme surtout, Loska ? Pour se venger ? Pour faire du tort à Blanche Guyot ? Elle appuya sur une des touches du téléphone :

— Amenez-moi la garde à vue Yvan Sauvage, le vétérinaire, s'il vous plaît.

Elle ouvrit la porte communiquant avec le bureau voisin.

– Tu viens, Kaip, prendre la déposition de Véto ?

L'homme qui entra dans le bureau, encadré de deux vigiles, était un homme totalement différent de celui qui exerçait les fonctions de vétérinaire au zoo. Yannick l'observa, intriguée. Mal rasé, mal coiffé, les vêtements froissés... Quelque chose clochait... Difficile à définir. Au zoo, imposant avec sa blouse blanche, sa mallette, il paraissait beaucoup moins serein que là en face d'elle, dans le bureau. C'était ça : une incroyable plénitude se dégageait de toute sa personne. Alors qu'au zoo il était tendu, inquiet, ici, au commissariat, inculpé pour meurtre, après avoir passé une nuit dans la cage en Plexiglas... il se présentait à elle totalement reposé.

« Le soulagement d'avoir avoué ? »

– Un café ?

Malgré tout, Sauvadet ne pouvait s'empêcher d'avoir un certain respect pour lui.

– Pouvez-vous m'expliquer, monsieur Sauvage, comment et pourquoi...

Au zoo, elle l'appelait « Véto ». Dans son bureau, pour bien montrer le changement de situation, elle lui balançait du « monsieur Sauvage ».

Il ne réagit pas. Elle attendit un instant, le laissa tremper ses lèvres dans le gobelet apporté par Kaip.

– Je n'ai rien à dire de plus qu'hier, annonça-t-il enfin. Vous m'avez arrêté, mettez-moi en prison et qu'on n'en parle plus.

« Qu'on n'en parle plus... » Déjà, la veille, à deux reprises, il avait employé les mots « qu'on en finisse ». Petit clapotis des touches sur le clavier. Pendant que Kaip tapait, Yannick épiait Véto. Indéniablement, cet homme était étrange. Les criminels éprouvent souvent le besoin d'expliquer, de justifier leurs crimes. Véto, lui, voulait juste en finir. Elle s'avança et le fixa droit dans les yeux :

– Vous pensez bien que je ne vais pas clore cette affaire sans avoir des preuves, des détails qui se recoupent.

— Mon aveu ne vous suffit pas ?

— Je ne m'en contenterai pas.

— Faudra bien, rétorqua-t-il.

Il but son café, l'air buté.

La commissaire soupira, agacée. Elle avait rencontré des « coriaces » durant sa carrière, mais des hommes comme Véto... Le regard à la fois distant et profond du vétérinaire la déroutait.

— Pourquoi avoir tué ?

Il haussa les épaule.

— Par passion, pour vous venger, d'accord, mais vous aimez les animaux, monsieur Sauvage, plus que n'importe qui, comment avez-vous pu... ?

Nouveau haussement d'épaules, puis :

— Bon, vous prenez mes aveux par écrit ?

Il était pressé d'être emprisonné.

— Nous vous écoutons, monsieur Sauvage.

Kaip tapa, tendit la feuille à son chef.

— Je relis votre déposition : « J'avoue avoir tué Roméo, l'ours polaire, Girafon, le bébé girafe, les autruches, et monsieur Loska, employé saisonnier au zoo. Les raisons qui m'ont poussé n'appartiennent qu'à moi. » Vous n'avez rien à ajouter ?

Il fit non de la tête. Elle lui tendit le stylo. Il signa.

La porte se referma.

— Encore quelques affaires comme celle-ci, classée en moins d'une semaine, et tu deviens bientôt directrice de la Police judiciaire.

Yannick répondit au sourire de son adjointe. L'enquête, effectivement, avait été rapide. Peut-être même TROP rapide. La commissaire aimait avancer lentement, transformer les hésitations, les hypothèses en certitudes... Cette enquête lui avait filé entre les doigts.

— Qu'en penses-tu, Kaip ?

— Qu'il était temps que la série de crimes au zoo cesse.

6

« Je hais les animaux,
Je hais les humains.
Je LA hais, elle, plus que tout au monde.
Je veux que son visage blêmisse,
Brûle sous les flammes,
Brûle sous le feu de la souffrance. »

– Raoul ! Raoul !

Le babouin reconnut la voix, accourut.

– Raoul.

Il s'approcha de la main, confiant.

La corde à sauter s'enroula autour du cou de l'animal.

Raoul poussa un petit cri puis s'immobilisa.

La commissaire raccrocha. Kaip comprit tout de suite que l'appel contrariait sa chef. Contrariait : faible mot. Yannick avait l'air furieuse.

— Cela commence à bien faire, je n'aime pas que l'on se moque de moi.

— Qui se moque de toi ?

— Véto.

— Il y a du nouveau ?

— Plutôt oui, un nouveau crime ! Tu viens ?

Assis autour du palmier, dans la neige, les babouins manifestaient leur révolte par un mutisme culpabilisant. Les parents de Raoul avaient vieilli d'un coup.

— S'ils restent là, dans le froid, sans bouger, ils vont crever, déclara Loïc.

— Tu envoies la corde à sauter au labo pour les empreintes, Kaip ?

— Encore des fleurs, madame.

Catwoman regarda le carton accroché au quatrième superbe bouquet de glaïeuls couleur feu. Cette fois-ci, il n'y avait pas que les mots :

« De la part de Fragrance. » Elle lut le carton. La police venait d'arriver au zoo pour constater le décès de Raoul. Elle hésita, se décida :

— Madame Dubois, dites à la commissaire de passer me voir. Tout de suite.

— Cela n'a peut-être aucun rapport, mais à chaque crime, commissaire, j'ai reçu des fleurs, des grands glaïeuls rouges et jaunes.

Elle attrapa le bouquet, y plongea son nez, eut une mimique de séduction :

— Elles embaument. Je n'ai jamais pu résister à un parfum.

Baby vint se frotter aux jambes de Kaip qui recula aussitôt.

— Tu en as peur ? murmura Yannick.

— Ce n'est pas notre Arsène. D'un coup de queue, une telle bête t'assomme.

— Et d'un coup de gueule, elle peut vous décapiter, déclara Catwoman sans rire, puis elle ajouta : Mais Baby est très doux, il ne ferait pas de mal à une mouche.

Elle se reprit :

— Il ne ferait aucun mal à sa maîtresse en tout cas. Au contraire, avec lui, je ne risque rien.

Elle pencha sa tête vers Baby :

— Il m'adore. Tenez, commissaire, avec ce quatrième bouquet, il y avait ceci.

Elle tendit le petit carton à la commissaire.

— J'ai le moral à zéro, avoua Lucyle.

Au souvenir du babouin, Sylvain eut les larmes aux yeux.

— Raoul ! Si j'avais insisté pour qu'on le protège, il serait peut-être encore en vie.

— La prochaine victime est Arthur, le bébé panda. Faut prévenir la police.

— Aucune empreinte sur la corde à sauter, déclara Kaip en lisant le fax qui venait d'arriver au commissariat : L'assassin a mis des gants.

Le rapport établi par le vétérinaire commis d'office au zoo pour l'autopsie de Raoul venait aussi d'être craché par le fax. Yannick le parcourut, le tendit à son adjointe :

— Raoul ne s'est pas étranglé par accident en jouant à la corde. Il y a des traces qui ne laissent aucun doute : on l'a étranglé puis suspendu au palmier.

Elle soupira.

– J'ai écouté la requête des stagiaires : j'ai envoyé deux policiers assurer le guet, l'un à l'entrée, l'autre à la sortie de l'allée des pandas. « Arthur et tous les autres membres... » Les visiteurs se promènent dans le zoo sans se douter le moins du monde...

Elle s'assit à son bureau. Épais à présent, le dossier *Zoo de Vincennes* s'y étalait. Elle le feuilleta, pensa à haute voix :

– Il y a eu cinq crimes. Le tueur peut – VA – recommencer. Encore et encore. Sur n'importe quel animal : un bébé kangourou, une cigogne, un zèbre... ou sur une personne.

– La méfiance et la psychose s'installent dans le personnel, déclara Kaip.

Véto n'était toujours pas rasé. Il se présenta devant la commissaire négligé mais détendu, et Yannick retint un mouvement agacé.

– Asseyez-vous. Vous avouez toujours être l'auteur des crimes ?

– Vous remettez ça, commissaire ?

Yannick se leva brutalement.

— J'en ai assez, Véto ! Assez de vos mensonges ! De vos faux aveux !

Elle se planta devant lui.

— Un nouveau crime a eu lieu au zoo. Vous comprenez ! Je ne peux prendre en compte vos aveux. Le criminel a encore frappé alors que vous étiez ici en garde à vue. D'ailleurs...

Elle le dévisagea.

— ... Vous saviez que la série allait continuer.

— Qui a été tué ?

— Raoul, le petit babouin.

— Raoul ? bégaya-t-il.

— Pourquoi vous êtes-vous accusé ?

— J'ai tué, je vous le répète.

— Et Raoul, alors, qui l'a tué pendant que vous étiez ici ?

— Je... je ne sais pas, quelqu'un prend ma suite.

— Vous vous moquez de moi ?

Elle le regarda. Il avait à nouveau son air buté et des gouttes de sueur perlaient sur son front. Elle n'en tirerait rien, elle soupira, appuya sur la touche :

— Reconduisez monsieur Sauvage.

— Qu'allez-vous faire de moi ? demanda-t-il.
Dans sa voix perçait une inquiétude évidente.

— Vous garder ici jusqu'à ce que nous trouvions le criminel.

Yannick remarqua l'imperceptible soupir de soulagement.

— De toute façon, je ne retournerai jamais au zoo de Vincennes, murmura-t-il. Je partirai loin.

— Affaire classée, disais-tu hier, Kaip, tu parles ! déclara Yannick.

Pourquoi Véto s'était-il accusé ? Pour couvrir un complice ? Possible. Possible aussi, comme il l'avait dit, que quelqu'un du zoo, n'ayant aucun rapport avec les premiers crimes, prenne la relève pour les meurtres. Véto avait-il un secret ? Toute son attitude, mutisme, résignation, semblait cacher quelque chose. Elle se rappela les gouttes de sueur sur le front du vétérinaire.

— Je sais, Kaip ! s'écria-t-elle. Véto s'est laissé arrêter volontairement parce que tout simplement il a... PEUR. Peur du criminel. En étant en garde à vue, il est protégé.

Ça se tenait. La question restait entière : qui avait tué ?

— Demain, Kaip, on recommence les interrogatoires.

— Monsieur Nicaud, vous travaillez au zoo depuis... ?

— Vous m'avez déjà posé la question, répondit le directeur du labo, avec un mouvement d'humeur. Depuis trois ans.

— Êtes-vous l'amant de Blanche Guyot ?

Il se redressa vivement. Peut-être un peu trop vivement.

— C'est faux. Je ne comprends pas, commissaire. Vous avez arrêté Véto, n'est-ce pas... Alors pourquoi vous obstinez-vous à traîner au zoo ?

— Vous vous faites plus idiot que vous n'êtes, monsieur Nicaud. Depuis l'inculpation de monsieur Sauvage, Raoul a été retrouvé assassiné et vous le savez.

— Vous me suspectez ?

— Mieux que quiconque, vous connaissez l'impact sur un animal d'une dose de somnifère trop importante. Vous côtoyez les animaux quotidiennement...

— Peut-être, commissaire, mais je ne suis pour rien dans la série de crimes de même que je ne suis pas l'amant de Blanche... heu... de madame Guyot. Vous n'avez d'ailleurs qu'à le lui demander.

Yannick retint un soupir. Elle tournait en rond avec le directeur du labo. Mentait-il comme avait menti Véto ?

La directrice ? Bien sûr qu'elle allait l'interroger.

— Loïc, que faisiez-vous avant de travailler au zoo ?

Loïc soupira. Depuis plus d'une heure, la lieutenant Mazap l'interrogeait, l'asticotait, l'assaisonnait. Des questions sur le zoo, d'abord, sur ses relations avec le reste du personnel ensuite, sur son passé maintenant !

— Avant de travailler au zoo de Vincennes, j'habitais en Nouvelle-Calédonie et je n'exerçais pas le même métier, parce que, en Nouvelle-Calédonie, il n'y a pas de zoo. S'il en existait, ce serait un zoo avec des animaux d'ici : cochons, vaches, poules... et je n'ai jamais été fermier !

– Que faisiez-vous alors ?

Loïc eut un nouveau soupir.

– J'étais comptable. Mais comptable, même dans les pays chauds, vous savez, ce n'était pas mon truc.

Il la regarda droit dans les yeux.

– Ce que j'aime, figurez-vous, ce sont les animaux.

– Vous avez les clés des enclos, vous pouvez approcher toutes les bêtes facilement...

Kaip nota les réponses du gardien de jour sans conviction.

L'affaire piétinait.

– Où puis-je trouver Martial ? demanda-t-elle.

– Je ne sais pas.

– J'ai quelques questions à vous poser, madame Guyot.

– Encore, commissaire ! Vous me suspectez ?

Au tout début de l'enquête, la directrice avait déjà eu cette réflexion. Comme si elle n'avait pas la conscience tranquille.

« Elle paraît bien ennuyée de ma visite », songea Yannick.

– Un policier ne doit rien laisser au hasard, aucun détail, vous le savez bien, répondit la commissaire. Je suspecte tout le monde.

Blanche Guyot eut un tic nerveux de la bouche.

– Vous permettez ?

Elle entrouvrit la porte, s'assura que madame Dubois était occupée à son poste, referma précautionneusement.

« N'a pas envie que SA secrétaire entende notre conversation, pensa Yannick. Pourquoi ? Elle ne veut pas être entendue ou elle sait déjà qu'elle va mentir ? Tiens, où est Baby ? »

Yannick le chercha des yeux, ne le trouva pas. Curieux !

– Eh bien, je vous écoute, commissaire ! déclara Catwoman.

Visiblement, la présence de la commissaire la contrariait. La présence ? Ou les questions qui allaient être posées et qu'elle redoutait ?

– Depuis combien de temps dirigez-vous le zoo ?

– Depuis presque trois ans. Et croyez-moi, il fallait quelqu'un comme moi pour redresser cet établissement. Chacun faisait n'importe quoi. J'ai dû y remettre de l'ordre.

« Et certainement provoquer beaucoup de désordre », pensa Yannick.

– Vous êtes mariée ?

Comme pour monsieur Nicaud, des questions un peu au hasard. La vérité pouvait surgir d'un détail.

– Non. Je n'ai jamais voulu. Et Dieu sait si des hommes ont souhaité partager ma vie !

– Que pensez-vous de monsieur Nicaud ?

Catwoman, sembla-t-il, eut un temps d'arrêt. Surprise par la question ? Ou pour réfléchir à la réponse ?

– Eh bien... je n'en pense RIEN. Absolument RIEN.

– Quelles sont vos relations ?

– Celles d'une directrice avec son personnel.

– Avec un de ses collaborateurs, vous voulez dire ? Monsieur Nicaud est *directeur* du labo ?

– Collaborateur, si vous voulez. Il est incapable de faire quoi que ce soit sans me demander mon avis.

– Et Véto ?

– Quoi, Véto ?

– Qu'en pensez-vous ?

– Mais RIEN non plus. RIEN.

– Un fait est certain, déclara la commissaire : il n'a pas tué Raoul. Mais le croyez-vous capable de tuer des animaux ?

Catwoman haussa les épaules.

– Il est à la fois incapable et capable de tout, laissa-t-elle enfin tomber.

La directrice mentait-elle ? Difficile à cerner. Elle pouvait mentir à chaque phrase, chaque mot... ou seulement de temps en temps. Cette femme était un serpent. L'interrogatoire ne faisait pas avancer l'enquête.

Kaip trouva Martial dans l'allée des suricates. Les animaux se dressèrent sur leurs pattes arrière à l'arrivée de la lieutenant.

– Je peux vous parler, Martial ?

Tout comme le personnel du zoo, elle l'appela par son prénom. Martial avait pourtant un nom ! Comment déjà ? Elle consulta son carnet. Ah oui, Martial... Lamy.

Nouvel interrogatoire. Des questions au hasard, comme à Loïc.

– Que faisiez-vous avant d'arriver au zoo ?

– J'ai exercé divers métiers, pas des plus agréables, éboueur, égoutier...

– Depuis combien de temps travaillez-vous au zoo ?

– Un an.

– Vous vous y plaisez ?

– Ces questions sont vraiment utiles pour votre enquête ? Oui, je m'y plais. J'aime les animaux.

– Savez-vous qu'une dose trop importante de somnifère peut provoquer chez un animal un arrêt cardiaque ?

— On m'appelle le Manchot mais je ne suis pas idiot. Bien sûr que je sais cela. Comme tout le monde, ici, c'est le b.a.ba des soins aux animaux.

L'entretien avec Martial s'avérait aussi infructueux que celui de Loïc. Kaip laissa Martial reprendre son activité auprès des suricates. Elle saisit son portable.

— Tu es rentrée au commissariat, Yannick ? Bon, j'arrive.

7

L'ambiance au zoo devait peser aux deux policières car elles eurent du plaisir à retrouver leur bureau exigu du commissariat.

— Alors, Loïc et Martial, cela a donné quoi ?
— Pas grand-chose. Et toi ?
— Ni Nicaud, ni Blanche Guyot ne m'ont paru bien francs. Je n'ai rien appris d'important pour l'enquête.

Yannick s'assit à son bureau. Une fois de plus, elle se pencha sur le dossier *Zoo de Vincennes*. Quinze jours à présent que l'affaire piétinait.

Elle l'ouvrit, consulta une nouvelle fois les documents un à un. Roméo, Girafon, les Demoiselles tête en bas, Loska, Raoul ; pour chaque victime : photos, rapports d'autopsie, interrogatoires du personnel...

Oui, l'affaire piétinait. Elle n'avait qu'une certitude : IL ou ELLE allait recommencer.

– À quoi penses-tu, Kaip ? demanda- t-elle à son adjointe, plantée devant la fenêtre.

– Je pense au zoo, évidemment... En interrogeant Martial, Loïc, en me promenant dans les allées, tout à l'heure, j'ai eu l'impression que le zoo tout entier, animaux, personnel, ne vivait que dans l'attente du prochain crime.

– Moi, aussi, j'ai eu cette impression.

Yannick se leva, rejoignit Kaip devant la fenêtre. Elle qui raffolait des sports d'hiver bougonna :

– Et cette neige qui tombe inlassablement !

Elle retourna s'asseoir à son bureau, feuilleta à nouveau les documents. Elle attrapa le petit carton que lui avait donné Catwoman, celui qui accompagnait l'envoi du quatrième bouquet.

« Tu as mis un feu dévastateur dans mon cœur impossible à éteindre. » Signé : « Fragrance. »

Fragrance : l'assassin ?

– Kaip ?

– Oui ?

Elle lui tendit le carton.

– Je ne sais pas pourquoi, mais j'en ai l'intime conviction : la solution est là, dans ce minuscule bout de papier. Écoute, le tueur tue et veut qu'on sache qu'il va tuer. La preuve en est avec l'avis dans le journal *Le Monde*. Il menace donc. Là, avec ces quelques lignes « Tu as mis un feu dévastateur dans mon cœur impossible à éteindre », il donne une explication, dirait-on...

– Ce peut être aussi une déclaration d'amour, dit Kaip.

– Oui, menaçante, malgré tout. Catwoman est perverse : tout lui est dû. Besoin de dominer, d'être adulée. Il peut s'agir d'une vengeance. Terrible. Mais qui peut la haïr au point de tuer des animaux innocents, de tuer un homme ? Quelqu'un cherche à détruire sa carrière. Quand je l'ai interrogée, elle m'a paru anxieuse, comme se sentant en danger.

– Elle est bien capable de t'avoir joué la comédie. De toute façon, avec son Baby, elle ne craint rien, dit Kaip. Il gronde dès qu'on l'approche, même les intimes.

– Tu as raison, Kaip. Mais nous trouverons l'assassin. Crois-moi. Nous l'arrêterons.

« Commissaire,

Vous avancez dans votre enquête plus vite que je ne l'ai prévu. Les deux jeunes stagiaires, Lucyle et Sylvain, ont gêné mon action et votre lieutenant est moins bête qu'elle ne paraît.

Vous avez rapidement compris que Véto n'était pour rien dans cette série de crimes, et deviné qu'il avait seulement peur. Si je ne brûle pas les étapes, vous êtes bien capable, à cause d'un détail qui m'aurait échappé, de découvrir mon identité avant que je n'aie eu le temps d'exécuter ce que j'ai décidé. Je ne vais plus tuer des animaux. Cela ne sert à rien. Je vais passer directement à la phase finale.

Je vous tire mon chapeau, commissaire. Oui, vous avez compris que j'ai tué les animaux pour me venger d'elle, pour la faire souffrir.

Vous êtes une fine lumière, vous avez du flair, du nez. Mais savez-vous que d'autres que les policiers ont besoin de leur nez ?

Vous voyez, je vous aide, je vous mets au parfum. Je n'ai plus rien à perdre maintenant.

Elle, vous avez compris bien sûr de qui il s'agit, elle, Blanche Guyot, Catwoman, va mourir. Et dans ses yeux éteints se lira l'HORREUR, la surprise de l'atroce mort que je lui réserve.

J'aurais voulu la voir ébranlée par le décès de ces pauvres animaux assassinés à cause d'elle. Elle se révèle plus insensible encore que je ne pensais. Je tiens à préciser, commissaire, que je ne suis pour rien dans la mort de monsieur Loska. Même si cette mort a facilité mon projet, brouillant les pistes.

Je ne redoute en rien les menottes et la prison. À présent, je les espère. Oui, j'attends sereinement la prison. Il y a si longtemps que je ne suis plus libre, que je suis en prison dans ma tête.

Je regrette seulement la mort des animaux qui n'a servi à rien.

Un dernier détail : comment ai-je fait pour que toutes les bêtes, Chloé surtout, aient confiance en moi jusqu'à la dernière seconde ?

Vous avez du NEZ, commissaire, vous allez trouver. Mais, pour Catwoman, il sera trop tard.

Demain, samedi, à onze heures précises, ma vengeance se réalisera. Peut-être, certainement même, en votre présence.

Je serai en face de l'enclos des pandas et je vous attendrai. »

Yannick tourna, retourna la lettre qu'elle avait reçue le matin et qu'elle avait lue une centaine de fois. Arsène vint se frotter à elle. Elle s'abaissa pour le caresser. À ce moment-là, Kaip entra.

– Un des saisonniers roumains insiste pour te voir. Un interprète l'accompagne.

– Que veut-il ?

– Nous révéler quelque chose de très important, semble-t-il.

L'homme était particulièrement nerveux.

L'interprète s'appliqua à traduire.

– Loska... accident terrible... tombé tout seul du Grand Rocher... pas tué.

Les deux policières se regardèrent, incitèrent le Roumain à continuer.

– ... Glissé... Rien dit... Pour faire du tort à la directrice...

– Loska n'a pas été tué. Cela change tout, dit Kaip.

– Pas vraiment.

Le jeune saisonnier sorti, Yannick replongea dans ses réflexions. Elle reprit le carton signé Fragrance : « Tu as mis un feu dévastateur dans mon cœur impossible à éteindre », et la lettre reçue le matin : « Commissaire, vous avancez dans votre enquête plus vite que je ne l'ai prévu... » Y avait-il une relation ? Yannick en était presque certaine à présent : Fragrance était l'assassin. Mais qui se cachait derrière ce nom ? Un homme ? Une femme ? L'analyse de la lettre – caractère classique – n'apporterait rien. La recherche d'empreintes sur le papier non plus. Il fallait agir vite. Très vite. Mais comment ?

Yannick, soudain, se sentit désemparée.

Le téléphone retentit, strident dans le calme de la nuit. Catwoman se redressa en sursaut sur le canapé-lit de son bureau. Elle regarda l'horloge du magnétoscope. Celle-ci clignotait : minuit trente. Qui osait appeler aussi tard ? La sonnerie insista. Elle se leva.

– Allô ? dit-elle, endormie.

Silence à l'autre bout du fil. Mais quelqu'un respirait.

– Allô ? Qui êtes-vous ?

– Blanche Guyot ?

C'était une voix d'homme. Ou de femme. Une voix déguisée, en tout cas.

– Oui, Blanche Guyot à l'appareil. Qui êtes-vous ? Que voulez-vous ?

– Demain, samedi, onze heures précises, tu mourras.

Petit déclic. On raccrocha.

« Demain, samedi, onze heures précises, tu mourras. »

Catwoman s'assit sur le bord du lit, chancelante. Cette voix – métallique, volontairement uniforme, résolument inquiétante – la laissait glacée jusqu'au sang. Cette voix, surtout, lui rappelait celle de quelqu'un... Qui ? Elle ne trouva pas. On – le meurtrier, la meurtrière – cherchait à l'effrayer. C'était réussi. Une boule d'angoisse lui étreignait la gorge. Elle respira un bon coup, attendit que les battements de son cœur se calment. La police devait la protéger. Elle allait exiger une armée entière de vigiles à l'entrée du zoo. Personne ne devait l'approcher demain. Elle composa le numéro de la commissaire Sauvadet.

Yannick écouta les propos décousus de Blanche Guyot. Incontestablement, celle-ci mourait de peur. De la comédie ?

« Impossible, réalisa Yannick aussitôt. Moi aussi, le tueur m'a annoncé la mort de Catwoman. »

— Oui, oui, madame... Des policiers, à l'entrée, un peu partout dans le zoo. Personne n'approchera votre bureau.

Elle essaya de rassurer la directrice, raccrocha.

Le zoo, le lendemain, se transformerait en véritable forteresse. Avant son ouverture, dès la première heure, des flics surveilleraient l'entrée, les allées... Deux policiers, des plus costauds, interdiraient l'accès du bureau de Blanche Guyot.

« Rien ne m'arrêtera... »

Yannick le savait : à présent, il lui serait impossible de trouver le sommeil jusqu'au lendemain matin. Elle se leva. Attrapa la lettre : « Commissaire, vous avancez dans votre enquête plus vite... »

– La solution se trouve LÀ, dans cette page, murmura-t-elle. Sûr de lui, sûr de tuer Catwoman, le criminel joue avec moi. « Vous avez du flair, du NEZ... Je vous mets au parfum... » « Demain, samedi, onze heures précises... »

« Il ou elle ne plaisante pas et je me prépare une sacrée migraine à essayer de trouver un indice », pensa-t-elle.

Elle devait trouver.

« Vous ne pouvez plus rien pour elle désormais... »

Le découragement la gagna. L'assassin, depuis le début, depuis le meurtre de Roméo, avait exécuté son programme dans le moindre détail. Pour Catwoman, aussi, il avait tout prévu. Malgré les policiers planqués partout dans le zoo, malgré sa présence à elle, en sa présence et celle de Kaip même, « IL » ou « ELLE » ALLAIT TUER CATWOMAN.

Elle en eut la certitude soudain.

Et cette certitude lui fit froid dans le dos.

8

Les glaïeuls jaunes et rouges étaient magnifiques. À sa demande, le fleuriste s'était surpassé. Les doigts accrochèrent sur le cinquième bouquet l'enveloppe : « Blanche Guyot », contenant l'explication de ses crimes.

Catwoman consulta sa montre. Onze heures moins le quart. Les cernes sous ses yeux témoignaient qu'elle n'avait pas fermé l'œil après le coup de téléphone de la nuit. Elle se planta pour la énième fois devant la fenêtre de son bureau. Toute la nuit, il avait neigé et, depuis le lever du jour, de gros flocons continuaient de tomber sans interruption. Dans les allées toutes blanches, les policiers étaient à l'affût : la commissaire avait tenu parole. Mais que faisait-elle au lieu de venir la protéger ?

– J'aurais dû carrément fermer le zoo aujourd'hui.

Elle haussa les épaules. À quoi bon si l'assassin faisait partie du personnel ? Depuis le coup de téléphone, elle tournait en rond comme une bête en cage, une bête prise au piège. Soudain, elle crut entendre du bruit à côté. Elle fit un geste pour biper sa secrétaire, se ravisa. Et si... avec ses yeux de rat, son sourire de chat, madame Dubois... était l'assassin ? Catwoman entrouvrit tout doucement la porte : la secrétaire semblait plongée dans des papiers, essayant d'ignorer les deux flics postés près d'elle.

Catwoman avala sa salive. Le silence feutré du zoo, accentué par la neige, décuplait son angoisse. Elle était électrique comme le temps, prête à sauter au plafond au moindre bruit.

« Je l'appelle quand même. »

Elle avait besoin d'entendre quelqu'un pour être rassurée.

– Madame Dubois, je ne veux voir PER-SONNE aujourd'hui !

– Oui... Oui... Je sais, la commissaire m'a appelée. Je dois filtrer les appels, le courrier... Le

zoo est envahi par les policiers... Deux sont ici...
Que se passe-t-il ?

La secrétaire feignait-elle l'étonnement et
l'inquiétude ?

– Je ne peux pas vous expliquer. Faites
comme vous a demandé la commissaire. Personne, vous entendez, personne, sous aucun
prétexte, ne doit s'introduire dans mon bureau.
Sauf la commissaire elle-même et son adjointe.

– Et si quelqu'un du personnel... ?

– PERSONNE !

Catwoman hurla. Baby, au pied du lit,
s'étira. Il regarda sa maîtresse, intrigué, inquiet
soudain, vint lui lécher les mains.

« Suis-je sotte de paniquer ainsi ! Tu es là,
mon Baby, pour me protéger. Si la criminelle, le
criminel ose entrer, un seul petit signe de ma
part, et tu le déchiquettes, n'est-ce pas, mon
chéri ? »

La présence du fauve la réconforta brusquement, mais la boule d'angoisse, toujours au
fond de sa gorge, l'étreignait à l'étouffer. Même
la commissaire avait pris au sérieux l'appel
téléphonique : les policiers, depuis l'aurore,

quadrillaient le zoo. Deux, particulièrement impressionnants par leur carrure, se tenaient à l'entrée de son bureau : impossible au meurtrier d'arriver jusqu'à elle. En plus, Baby était là.

« Je ne risque absolument rien », essaya-t-elle de se convaincre.

Onze heures moins dix ! Que faisaient donc les policières ? Elle sursauta : le téléphone !

– A... Allô ! bégaya-t-elle. Ah, c'est vous madame Dubois !

– Monsieur Nicaud insiste pour vous parler.

– Je ne veux parler à PERSONNE !

Elle raccrocha. Nicaud et madame Dubois ? Tous deux complices ? Peut-être.

Le téléphone resonna. Sur les nerfs, elle décrocha.

– Je vous ai dit, madame Dubois... Ah, bon, la commissaire vient d'arriver !

Kaip et Yannick entrèrent. Cette dernière avait les traits tirés.

– Enfin, vous voilà, commissaire ! Vous savez l'heure qu'il est ? J'ai le temps d'être mitraillée cent fois avec vous !

— Il est exactement onze heures moins huit, madame Guyot. L'assassin vous a dit « onze heures précises ». J'ai donc huit minutes devant moi.

— Mais enfin, je ne comprends pas. Je vous ai demandé de venir pour...

— Pour vous protéger. Le zoo est surveillé de tous les côtés, deux policiers bloquent l'entrée de votre bureau... Plus que protégée, Blanche Guyot, vous êtes cernée. Je vous arrête !

— Quoi !

Catwoman dévisagea Yannick. Elle eut un moment d'hésitation. Songea-t-elle à faire un signe à Baby ?

— Vous m'arrêtez ?!

— Oui, je vous accuse de la mort – involontaire – d'un homme.

— Comment osez-vous, commissaire ?

— Loska n'aurait jamais dû se trouver en haut du Grand Rocher, il n'a pas été engagé pour cela. Les consignes de sécurité, en outre, n'étaient pas appliquées : il travaillait sans filet. Vous êtes en quelque sorte responsable. Je vais d'ailleurs demander à l'inspection du travail d'intervenir.

Le regard rivé à sa montre, morte de peur, Catwoman n'écoutait plus Yannick.

– Onze heures moins cinq ! Co... commissaire, elle..., il... va venir me tuer : arrêtez-moi, emmenez-moi de suite.

Elle s'accrocha à Yannick, suppliante.

On frappa à la porte. Baby aussitôt se redressa, menaçant. Catwoman poussa un cri strident. Désespéré. Le dernier cri du condamné. Onze heures moins trois !

– C'est... lui, c'est... elle... bégaya-t-elle, prête à s'évanouir.

Silence pesant. Yannick se décida, alla ouvrir.

– Commissaire, dit madame Dubois, un de vos policiers voudrait...

Un homme s'avança. Imposant.

Yannick eut un sourire :

– Ah, c'est toi, Nordine, que se passe-t-il ?

– Un livreur a apporté ces fleurs. Selon vos consignes, je lui ai interdit l'accès du zoo mais j'ai pris l'initiative de vous les remettre, c'est pour madame Guyot.

Blanche Guyot fit apparaître ses tresses,

derrière le lit. Elle se leva, soulagée : la commissaire connaissait, tutoyait l'homme.

Mais soudain, elle cria, hystérique :

– Il y a une bombe dans ce bouquet !

Nordine s'adressa à Yannick.

– Étant donné les circonstances, vous pensez
bien, commissaire, j'ai vérifié : ce bouquet ne
présente absolument rien de suspect.

Catwoman reprit des couleurs, du poil de la
bête aussi :

– Eh bien, merci, disposez, dit-elle.

Nordine déposa le bouquet au bord du lit,
sortit.

– Onze heures moins quelques secondes,
commissaire. Vous n'auriez pas connu ce
policier...

Catwoman attrapa le bouquet de fleurs.

– J'aurais été persuadée qu'il était l'assassin.
Dieu soit loué, ce n'est pas le cas. Hum... ces
fleurs embaument.

Elle y plongea son nez.

– Arrêtez ! ordonna Yannick.

Elle se rua sur la directrice, lui arracha le
bouquet des mains.

— Enfin, commissaire ?

Kaip regarda sa collègue. Que lui arrivait-il ?

La commissaire fixa Blanche Guyot.

— Respirez ces fleurs, madame la directrice, laissa-t-elle tomber, et je vous assure qu'en moins de dix secondes... Sa voix était ferme : Votre cher Baby vous aura croquée !

— Quoi !

Yannick composa un numéro sur son portable.

— Allô ! Le labo de la PJ ? Peut-on m'envoyer quelqu'un au zoo... Pour une analyse de fleurs.

Elle raccrocha, s'adressa à Catwoman :

— Après avoir tué des animaux pour vous faire du tort, l'assassin a décidé de vous tuer, vous. Et pour cela, il a versé sur ces fleurs...

Elle désigna le bouquet de glaïeuls.

— ... Un parfum ! Un parfum spécial qui, mêlé à l'odeur de la peau humaine, provoque chez un fauve une agressivité tueuse.

Elle ajouta :

— J'en mettrais ma main à couper à moins que vous ne souhaitiez que ce soit votre tête.

Elle décrocha l'enveloppe sur le bouquet.

– Je vous l'emprunte, madame Guyot. Je vous la rendrai, comptez sur moi. Dans cette lettre, j'en suis sûre, le meurtrier explique sa vengeance.

Kaip en avait le souffle coupé.

– Toute la nuit, au lieu de dormir, raconta sa supérieure, j'ai réfléchi à la psychologie du tueur... et ce matin, une idée m'est venue. À la première heure, j'ai appelé le musée d'Aromachologie à Grasse, ville mondialement réputée pour ses fleurs. L'aromachologie est une science peu connue, méconnue en tout cas. Et incroyable. Les parfums, figure-toi, agissent sur notre psychisme. Des méthodes découlant de l'aromachologie sont appliquées dans certains pays, au Japon notamment. Dans les usines, aux heures de travail, on diffuse des parfums stimulants, à l'heure des repas des arômes qui délassent.

– C'est comme ça que le meurtrier ?...

– A endormi la confiance de Chloé.

– Et ?...

– C'est ainsi aussi qu'il comptait tuer Catwoman.

– Elle peut te remercier. Mais... continua Kaip, pourquoi la tuer ?

Yannick sortit de sa poche la lettre du cinquième bouquet.

– J'en mettrais ma tête à couper, cette fois, annonça-t-elle, que l'explication est là. Je te laisse lire à haute voix.

9

Bien sûr, Blanche Guyot, tu ne te souviens de rien. Tu ne m'as même pas reconnu quand je me suis présenté au zoo. As-tu seulement fait attention à moi ?

En tant qu'humain, j'entends. Pas en tant que personnel dont l'existence n'a qu'un seul but : te servir. M'avais-tu seulement remarqué il y a vingt ans quand nous habitions le même immeuble ?

Souviens-toi, Blanche Guyot. L'immeuble au 5, rue Saint-Exupéry. Le 19 mai. J'avais alors à peine trente ans. Nous habitions sur le même palier, au deuxième étage.

Le 19 mai. Soudain, des hurlements. L'immeuble s'embrasait. On n'a jamais connu la cause.

Un filet fut tendu par les pompiers. Les gens se lançaient dans le vide les uns après les autres. Quand ce fut mon tour — je serrai fort dans mes bras ma petite Manon, ma petite fille de quatre ans —, un violent coup de coude m'a projeté au fond du couloir.

— Sauvez Mirta !

À travers les flammes, j'aperçus une femme tenant contre elle... un caniche.

— Sauvez Mirta ! Attrapez-la !

Elle a lancé son chien puis a sauté.

La douleur me coupait la respiration. Plié en deux, je suis tombé avec Manon dans la fumée, le feu. J'ai perdu connaissance.

« Sauvez Mirta ! » La phrase autoritaire résonne encore dans ma tête. Même vingt ans après. Je n'ai pu sauver ma petite Manon, mon enfant unique. Toi, Blanche Guyot, tu as sauvé ton caniche.

Manon, brûlée au troisième degré, est décédée peu de temps après. Avec elle, j'ai tout perdu.

J'ai perdu aussi ce qui avait fait de moi un nom : la fumée a détruit mes parois nasales. Je n'ai désormais plus rien senti, n'ai plus eu aucun *odorat. Alors que j'étais ce qu'on appelle un Grand Nez, le bras droit des plus grands parfumeurs. Et je suis devenu... devenu qui, ou plutôt devenu quoi? Un pauvre type, sans sa fille, et que sa femme a quitté.*

Alors, une seule idée m'a habité : me venger. Te faire souffrir en supprimant ce que je croyais que tu aimais : les animaux. Mais aucun animal ne méritait de mourir à cause de toi. Je l'ai compris trop tard. Tu n'as pas de cœur. J'ai mis longtemps à te retrouver. Profite encore de la vie. Bientôt, il sera trop tard. Je t'offre ce dernier bouquet. Respire-le à plein nez. »

Sur le banc, en face de l'enclos des pandas, à onze heures précises comme il l'avait écrit à la commissaire, statue dans le paysage enneigé, il était là. Il avait ôté sa blouse grise et une certaine distinction se dégageait de la personne de Martial Lamy, dit le Manchot.

Depuis deux mois, Lucyle avait quitté le zoo de Vincennes. Sylvain aussi, son stage fini, était reparti chez lui, dans le Midi. Il y avait eu un certain flou au zoo, pendant un temps. Catwoman avait démissionné et Nicaud assuré l'intérim. Puis une nouvelle directrice était arrivée, incontestablement passionnée par les bêtes. Elle avait rapidement créé une ambiance chaleureuse.

Lucyle ouvrit la boîte aux lettres. Elle reconnut tout de suite l'écriture. À l'intérieur de l'enveloppe, une photo. Elle sourit. Sylvain n'avait pas son pareil pour saisir l'expression humaine des animaux. Bien portant, accroché à un arbre, tête penchée, Arthur la regardait, si confiant, si tendre.

Elle retourna la photo.

Au dos, Sylvain avait écrit ces mots :

« Gazou, je laisse Arthur parler pour moi. »

Et si on agissait maintenant?

Dans cette histoire dont le suspense est digne du meilleur roman policier, le zoo et ses animaux ne sont pas un simple prétexte à l'intrigue. En effet, la condition animale dans les zoos et la question de la protection des espèces sauvages menacées sont au cœur de cette haletante aventure.

De nombreux témoignages et reportages ont déjà montré que certains zoos français, qui font la joie de nos enfants tout émoustillés devant ces bêtes étranges, se comportaient comme de véritables tortionnaires avec leurs pensionnaires involontaires et avaient été obligés de fermer leurs portes. Pour assumer la captivité d'un animal sauvage dans de bonnes conditions, il faut être formé, connaître les caractéristiques de son espèce pour faciliter les conditions de son adaptation à un espace singulièrement rétréci et à un climat qui ne ressemble pas forcément à celui du pays d'où il vient... Même si, aujourd'hui, de nombreux animaux naissent en captivité, ils n'en conservent pas moins l'essentiel de leur patrimoine génétique et ne ressembleront donc jamais à ce que l'on nomme communément des « animaux domestiques ».

La législation française a heureusement évolué et les zoos sont aujourd'hui étroitement surveillés, enfin, ceux qui possèdent ce statut, mais on trouve encore trop souvent des ces petits établissements, tenus n'importe comment, dans des conditions d'hygiène plus qu'approximatives, où la vie des animaux sauvages est un véritable enfer. Ils sont arrivés là après des péripéties cauchemardesques et, le plus souvent, en contrebande, avec la complicité de trafiquants agissant dans les pays d'origine (voir : Les Trafiquants de San Fernandez). Le trafic des animaux se pratique aujourd'hui à l'échelle mondiale, malgré la surveillance accrue des organisations non gouvernementales et des institutions internationales. Plus le fossé se creusera entre pays riches amateurs d'exotisme et pays pauvres en quête de survie, plus le trafic des animaux sauvages sera difficile à éradiquer.

Mais, derrière cette histoire, c'est aussi la question des espèces sauvages qui est en cause. Car, les zoos, qu'ils le veuillent ou non, contribuent à la disparition des espèces sauvages menacées. Même si, très tôt, les directeurs de zoo se sont engagés dans des associations de sauvegarde des populations sauvages. Il s'y sont tellement impliqués qu'on en arrive à cette dérive qui veut que l'on envisage principalement la sauvegarde de la faune sauvage sous l'angle de la captivité! Un paradoxe qui en dit long sur cette idée, prédominante durant les trente dernières années, que la nature est un sanctuaire. Or, la préservation de la faune sauvage ne peut s'envisager que dans un espace où l'homme est présent, où il y a cohabitation et possibilité de prédation et de prélèvement pour l'un comme pour l'autre.

Pourquoi, par exemple, a-t-on vidé les plateaux du Mozambique de leurs populations autochtones? Pour en faire des grandes réserves d'animaux à destination des touristes. Les paysans sont donc descendus dans les vallées et le jour où se sont produites les inondations que l'on sait, les victimes sont tombées par milliers. On a chassé l'homme de ses terres ancestrales pour sanctuariser l'animal, mais on a condamné l'un et l'autre.

Les directeurs de zoo se défendent en expliquant qu'ils contribuent justement à éviter l'affaiblissement génétique des espèces menacées en prélevant sur les sujets sauvages, parvenus à un seuil critique de renouvellement, pour maintenir la qualité génétique des sujets captifs et, donc, garantir la survie de l'espèce. Le remède ne serait-il pas pire que le mal ?

Combien des dix mille espèces menacées les zoos pourraient-ils sauver, alors que 70 % à 80 % des mammifères n'y sont pas représentés ?

Nous sommes en plein rêve de Noé qui voulait remplir son Arche de toutes les espèces de la Terre. Jamais les zoos ne parviendront à la réalisation de ce rêve. Voilà pourquoi il est, sans doute, beaucoup plus judicieux de se battre pour arrêter le Déluge, c'est-à-dire de tout faire pour préserver le maintien de la biodiversité sur cette planète.

Ce n'est pas simplement la survie des espèces animales qui est en jeu mais aussi celle de l'espèce humaine. À nous de savoir ce que nous voulons !

Noël MAMÈRE
Directeur de collection

souris verte

Dans la même collection

Achevé d'imprimer sur Cameron
par **Bussière Camedan Imprimeries**
à Saint-Amand-Montrond en novembre 2000
Conception graphique couverture :
Christel Fontes
Dessin de la Souris verte : Lewis Trondheim
Dépôt légal : novembre 2000
N° d'impression : 004944/1
Loi n° 49.956 du 16 juillet 1949
sur les publications destinées à la jeunesse